LE FOU D'LA POINTE

Claire Vigneau

Le fou d'la Pointe

roman

ÉDITIONS TROIS-PISTOLES

Éditions Trois-Pistoles
31, route Nationale Est
Paroisse Notre-Dame-des-Neiges
G0L 4K0
Téléphone : 418 851-8888
Télécopieur : 418 851-8888
C. élect. : vlb2000@bellnet.ca

Saisie : Claire Vigneau
Conception graphique et mise en pages : Roger Des Roches
Révision : Victor-Lévy Beaulieu et André Morin
Couverture : Bruce Roberts
Photo de l'auteure : Marcel-André Levasseur

Les Éditions Trois-Pistoles bénéficient des programmes d'aide à la
publication du Conseil des Arts du Canada, du ministère du
Patrimoine (PADIÉ), de la Société de développement des entreprises
culturelles du Québec (SODEC) et du programme de crédit d'impôt
pour l'édition de livres du gouvernement du Québec (gestion Sodec).

EN EUROPE (COMPTOIR DE VENTES)
Librairie du Québec
30, rue Gay-Lussac
75005 Paris, France
Téléphone :   43 54 49 02
Télécopieur :   43 54 39 15

ISBN 978-2-89583-266-9
Dépôt légal : Bibliothèque et Archives nationales du Québec, 2012
Dépôt légal : Bibliothèque et Archives Canada, 2012

| AVANT-PROPOS

Au cours des dernières années, André m'a fait parvenir de nombreux enregistrements. Il s'y raconte, il me parle des gens autour de lui et de la nature des Îles-de-la-Madeleine dont il est si proche... À partir des cassettes reçues et d'autres éléments en ma possession, j'ai tenté en écrivant ce livre de reconstituer son histoire.

J'ai rapporté les dires d'André le plus fidèlement possible. Malgré tout, j'ai dû « traduire » un peu son langage pour le rendre plus accessible. Les conversations ont cependant été conservées inchangées et elles respectent la réalité des insulaires.

La Jeune, printemps 2010

JE SUIS LE FOU DU CANTON...

E t je reste le fou, même si depuis un bout de temps, les choses changent... On m'appelle André, maintenant, une amélioration par rapport à l'époque où on me criait : « Eille, le fou ! » De nos jours, crier des noms au monde, ça se fait plus, surtout devant les touristes...

J'ai eu 49 ans cette année, je suis plus un enfant et, je le sais bien, je passe encore pour le fou de la place. Je le vois dans leurs yeux. Dans leur manière de changer leurs façons quand ils s'adressent à moi. Pour eux, je suis l'attardé, le simple, le débile, et pour tout dire, je le suis pour moi itou. Pourquoi je me tracasserais ? Je me sens fou !

Il y a bien les touristes, les visiteurs faudrait dire, paraît, ils me disent vous, et moi, je suis jamais certain au début des étés si c'est bien à moi qu'ils parlent. Mais je m'habitue vite. Et j'aime me faire dire vous, ça change. J'aime les touristes itou.

Il y a une famille, ils reviennent un été sur l'autre et à chaque jour, ils m'achètent du poisson. On n'a pas grand-chose à se dire... Ils comprennent pas mon accent et moi, je comprends pas leurs mots de la ville. Maintenant, ils m'appellent André eux aussi.

| Edmond

D ans le canton, ceux avec qui je m'accorde le mieux, c'est la famille à Edmond à Johnny. Une des filles tient la boulangerie. Moi, je peux y passer des heures, à la boulangerie, sans dire grand-chose d'autre que parler du temps. Marie-Louise, elle m'oublie et moi, je regarde les allées et les venues. J'observe. Je parle à ceux de ma connaissance et je salue tout le monde. Je suis ni gêné ni faraud. Quand il y a trop de barda à la boulangerie et qu'en plus, il fait pas bien beau, je vais m'asseoir à côté, chez la mère. Là non plus, pas besoin de faire de grands discours. Ça dépend de comment elle est braquée, pour sûr, mais le gros du temps, c'est elle qui parle. Moi, je me contente de l'écouter.

Du temps de son mari, elle était moins jasante. Toujours occupée et moins avenante itou. La mort d'Edmond l'a adoucie, comme si elle avait compris pas mal de choses d'un coup. Edmond, c'était vraiment un homme bon. Certains le disaient même bonasse... Faut les laisser dire. Moi, je le connaissais bien, et je sais qu'il était pas bonasse. Un homme bon... il y a toute une différence ! La mère, elle souriait pas souvent tandis qu'Edmond, c'était un farceur. Et il aimait le monde. Toujours à offrir un petit gin ou un carré de sucre à la crème. Travailleurs tous les deux pareillement. La mère, il faut lui donner ça, c'est loin d'être une paresseuse. Gourmande, par exemple, et elle aime à jouer aux cartes ! Au 150. Pas à l'argent, pour sûr ! Mais paresseuse ? Ça non !

Ils ont eu neuf enfants, avec comme seul salaire dans la maison celui à Edmond. Il travaillait au printemps, sur les *floats*[1]. Ils arrivaient bien. Ils ont toujours eu des animaux : des vaches, des poules, un ou deux cochons, des grands

---

1. Les *floats* : mot anglais pour flotteur. Aux Îles, les *floats* désignent une plate-forme flottant sur l'eau et servant de vivier à homard.

jardins, des champs de patates. Tellement de patates certaines années, qu'ils devaient vendre leurs surplus. Et du poisson en quantité ! Sitôt le travail des *floats* fini et le foin ramassé, Edmond partait avec son plus vieux à la pêche et ça salait, ça canait... Du poisson, ils en avaient pour tout l'hiver sans inquiétude ! Et les enfants étaient pas paresseux non plus. L'été, ils étaient toujours une couple à ramasser des petits fruits tandis que les plus vieux s'occupaient des animaux ou travaillaient ailleurs. L'été, une bonne odeur s'évadait de leur maison... Des tartes aux bleuets, de la confiture de petites fraises, celle de groseilles, celle de framboises aussi. Moi, je suis pas un bec sucré mais je dois dire, ça sentait bon en pas pour rire sur le chemin, en face de chez eux ! Pour sûr, ça sent encore bon avec la boulangerie à côté, mais du temps où je parle, la boulangerie existait pas encore.

Pour nous autres dans le canton, c'était la famille riche. Certain, ils flottaient pas sur l'or mais Camilla était fière, et ses enfants ont jamais été retirés de l'école pour aider leur père. Ils devaient étudier et... réussir. Il y a bien une fois, seulement une à ma connaissance, où le monde du Havre ont essayé de mettre un de ses gars, son Jean-Eudes, dans une classe spéciale. Pour les classes spéciales, faut savoir... Il leur fallait un certain nombre d'élèves et s'ils avaient pas le bon nombre, ils regardaient vers la Pointe. À l'époque, presque tous les parents de par ici étaient sur l'assistance et sans instruction... Avec Camilla, laissez-moi vous dire qu'ils se sont fait virer de bord ! Sûr, Jean-Eudes était pas le plus appliqué de ses enfants à l'école. Mais il s'est quand même rendu étudier sur la grande terre et maintenant, il travaille à Montréal. Sans sa mère, il aurait fini à l'usine du Havre et ensuite, sur l'assistance, vu que l'usine a passé au feu et qu'elle a pas été rebâtie.

En parlant d'usine, je me rappelle quand Camilla y a travaillé. Pas bien longtemps, une année ou deux, pour gagner un peu d'argent et habiller ses enfants de linge neuf. Ça a fini en chicane. Elle a pas supporté de se faire reprendre par un petit gars du coin, un petit boss qui avait à peine fini son primaire et qui avait eu l'emploi à cause de son père, un moyen boss, disons. Elle y a plus jamais travaillé ni aucun de ses enfants. C'est surtout pour cette raison-là que dans le canton, on les disait riches. Les seuls à pouvoir se permettre de pas travailler à l'usine et surtout, de pas y envoyer leurs enfants. Hormis le père, pour sûr! Mais les *floats*, c'était pas l'usine, même si ça lui appartenait. C'était dehors déjà... et ils avaient pas de rapports avec ceux d'en dedans. Sauf le soir sur le quai, quand ils revenaient des *floats* en doré². Là, Edmond allumait une cigarette et il se mettait à jaser avec tout un chacun.

Moi, à l'usine, j'y ai jamais mis les pieds et pour l'école... je sais plus tellement. Cette partie-là de ma vie est comme un rêve. Quoique rêve est peut-être pas le bon mot à dire... Je me souviens de la peur le matin, des chicanes à la maison, des taloches de papa pour me forcer à y aller... Je me rappelle plus ce qui se passait à l'école ni du retour à la maison. Je me souviens que je préférais de loin les taloches à l'école, et qu'ils ont fini par me laisser tranquille. J'ai oublié le reste. Un bon matin, maman a dit que j'avais plus besoin d'avoir peur. L'école, c'était fini pour moi. Je me souviens de ce jour-là. J'étais sûrement content. Pourtant, longtemps, la peur est restée collée à moi...

La vie dont je me souviens a commencé après. Quand les enfants, sur leurs bancs à l'école, étaient plus dans mes parages. Tranquillement, j'ai commencé à avoir moins peur. Et après un bout, j'ai aidé papa à la pêche.

Au début, il bougonnait encore rapport à l'école. Il a fini par se faire une raison. Faut dire aussi, pour la pêche,

---

2. Doré : déformation de doris : embarcation développée à Terre-Neuve pour la pêche à la morue.

j'ai été habile tout de suite. Je sais pas comment cela se serait passé à l'école si j'avais été capable d'écouter ce que la maîtresse avait à dire ? Mais en tout cas, pour la pêche, j'avais pas mal de comprenure ! Quand je parle de la pêche, pour sûr, je veux pas dire la grande pêche, au homard ou au crabe... Non, je parle de la pêche en doré et quasiment tout le temps sur la baie d'en-dehors. La pêche au maquereau beaucoup, la pêche aux éperlans ensuite, à l'anguille, hiver comme été, aux coques et aux palourdes aussi. Vite, je suis devenu plus habile que papa. Surtout pour reconnaître les bons endroits où trouver les bancs de poissons. Papa, on aurait dit qu'il savait pas regarder. Il savait pas observer les signes et se souvenir d'une fois sur l'autre. Après une couple d'années, il a arrêté de m'accompagner en pêche. Il préférait rester à la maison et laisser la chaleur endormir son mal. Moi aussi je préférais qu'il reste à la maison, je préférais être tout fin seul, avec juste la mer comme compagnie.

Il m'arrivait parfois de pêcher avec Edmond. À l'automne le plus souvent quand ses gars avaient recommencé l'école. J'en apprenais plus à l'observer durant une journée que durant toute une saison avec papa. Edmond, je le faisais rire. Il disait qu'il avait jamais vu quelqu'un d'aussi dur à l'ouvrage. Je sais pas si ça vient de tous les coups reçus petit ou d'autres choses, mais on dirait, je me fatigue jamais. Edmond, il riait et il me disait que ça allait le tuer d'essayer de me suivre. À ce moment-là, je ralentissais, je comprenais le message. Mais moi, je sentais pas la fatigue.

À dire vrai, c'est pas le trop d'ouvrage qui l'a tué, Edmond, c'est plutôt son contraire... Edmond, il travaillait sur les *floats* depuis 35, 40 ans, je sais pas trop. Je me souviens, plusieurs années avant, il avait reçu une montre de la compagnie pour ses trente ans de service. Pis la compagnie a changé de mains et les nouveaux boss ont décidé de faire place neuve. Et ils ont mis dehors tous les vieux employés. Pour sûr, les vieux employés connaissaient le travail mieux que les jeunes, mais la compagnie a économisé pas mal d'argent de cette façon-là. Moi, j'ai regardé ça aller et pour tout dire, la compagnie a changé pas mal de choses... Elle aimait mieux montrer ses nouvelles façons de faire à des jeunes. Les jeunes, ils comprennent vite ! Les vieux, ça leur prend du temps... et ils étaient déjà au bord de la retraite. C'était pas mal triste en tout cas. Cette compagnie-là, elle était mieux que l'autre dans un sens. Apparence, d'après les jeunes, que les employés avaient de meilleures conditions. Mais... elle a quand même mis Edmond et les autres vieux dehors pour pas dépenser d'argent et se simplifier la vie du même coup !

Edmond, pour dire, ça l'a changé... Jamais de sa vie d'homme y'avait touché à l'assistance et là, à soixante ans passé, il se retrouvait obligé de vivre sur le bras du gouvernement. Mais pour être tout à fait honnête, je crois pas que c'était encore le pire. Parce que les premières années... ça allait. Même juste après avoir reçu sa pension, ça allait encore. Il faisait de plus grands jardins, plus beaux, mieux entretenus et il passait plus de temps à s'occuper de ses animaux et à aller en pêche. Mais les enfants étaient partis. Les animaux et les grands jardins étaient rendus inutiles. La famille, le voisinage, tout le monde s'est mis à lui dire qu'il était trop vieux pour avoir autant d'animaux à s'occuper et pour se fatiguer autant. Ils lui disaient de se reposer, de profiter de la vie. Les intentions étaient bonnes... Edmond s'est laissé faire, tranquillement. La télévision s'est mise à jouer plus souvent et la radio, que j'avais jamais entendue dans cette maison-là, jouait maintenant à cœur de jour. Edmond, si calme d'habitude, il s'est mis à parler comme une pie. Il pouvait répéter la même chose plusieurs fois d'affilée, en changeant de façon. On aurait dit que le silence lui faisait mal. Pis un jour, en revenant de l'étable, il a dû s'asseoir, il pouvait pas respirer.

Camilla a eu du trouble pour le convaincre d'aller à l'hôpital. Il devait souffrir depuis un bout, sans dire un mot là-dessus. Arrivé à l'hôpital, il avait seulement un poumon en fonction, et juste un peu à part ça, l'autre était hors d'usage. Le poumon restant, il fonctionnait mal, il y avait de l'eau dedans. L'eau et les poumons, apparence, ils font pas bon ménage ! Edmond est mort exactement un an après sa première visite à vie à l'hôpital. Un an tout juste. Un an où des fois il se sentait bien comme un jeunot, et d'autres où son visage restait fermé et où la douleur le rendait méconnaissable. C'est grâce à lui que j'ai compris la souffrance. Je l'ai observé pendant sa maladie. Je pouvais savoir exactement quand la douleur revenait. Sa femme aussi comprenait. Pas de la même façon, par exemple. Plus par le ton dur de son mari, un ton qu'il avait jamais eu avant. Un ton qui faisait mal à entendre...

Cette année-là, je crois, Edmond a trop jonglé[3]. Les derniers animaux avaient tous été vendus... c'était son premier été sans jardin... Il avait trop de temps ! Je sais pas quels souvenirs il a brassés ? Il est devenu moins doux. Peut-être aussi... quand la douleur prend toute la place, il reste plus rien pour les gentillesses ? Avec sa femme, il se sentait pas d'obligation à faire semblant, j'imagine. Camilla aussi, elle a changé... Elle lui a fait une belle mort en tout cas. Il est mort dans sa chambre, avec elle, une de ses filles et son plus vieux qui se relayaient à ses cotés. Jamais ils l'ont laissé seul. J'ai passé souvent faire mon tour. Il a été alité une dizaine de jours, pas plus. L'infirmière venait le matin et ensuite, dans les derniers temps, elle repassait le soir. Ils l'ont pas laissé souffrir, ils l'ont soutenu jusqu'à la fin.

Les premiers temps, je montais parler un peu avec Edmond. Même si lui parlait presque plus. Ensuite, je restais en bas. C'était calme dans la maison, reposant. Pas si triste qu'on aurait pu penser. Même une fois, Camilla s'est

_____

3. Jongler est utilisé ici dans le sens de réfléchir, penser.

mise à rire en me voyant assis en bas, surprise de pas m'avoir entendu entrer dans la maison. Une belle mort, j'le dis.

Il s'en est passé des choses durant toute cette année-là où Edmond était malade... Au début, ils sont partis en ville pour les traitements et quand Edmond est revenu, ça allait pas bien fort. Pis, après un petit bout, on aurait pu le croire guéri. Il pouvait sortir prendre des marches. La douleur semblait éteinte. C'est certain, ça a pas duré, mais par chance, sa bonne période est tombée durant l'été quand les enfants d'en-dehors étaient sur les Îles en vacances. Je l'ai même vu aller aux fraises avec sa plus jeune et sa petite fille à elle. Les trois générations accroupies dans le champ à manger des petites fraises. Il devait savoir que ça durerait pas...

À la fin, Edmond était redevenu comme du temps où il travaillait. Encore plus calme peut-être, moins jasant. Il se fatiguait vite, mais il semblait toujours content de voir du monde. Et doux avec tout un chacun.

Ça a fait un vide, la mort d'Edmond.

Pendant un temps après, j'ai arrêté mes visites aux maisons. Je passais tout mon temps au dehors, en doré sur la baie du Bassin. Je pêchais un peu, pour pas amener les gens à jacasser. Je passais surtout du temps sur l'eau, à rien faire. Seulement regarder la danse des goélands et fumer.

Je me suis mis à faire des choses jamais faites avant. Ramer pour rien. Et aller partout sur la baie, même aux endroits où je vais jamais de coutume, des endroits sans poissons. Aux alentours du goulet, je regardais le courant entrer pis sortir. Je pouvais y rester des heures. Juste à suivre le courant. À observer les tourbillons. Mes yeux suivaient l'eau. C'était comme si je dormais. Je pensais à rien. Jusqu'à ce que les sternes viennent plonger au proche et qu'elles me ramènent à la surface. Le soir, j'allais sur La Grave et je regardais les touristes passer. Assis dehors à fumer. Cet automne-là a été dur... Les touristes sont partis et comme de raison, le vent est devenu trop fort pour sortir sur la baie, ou même pour rester tranquillement assis au dehors. Le temps a été encore plus long durant l'hiver, surtout le soir, tout fin seul dans la maison.

Lentement, le temps a fini par passer, comme il a coutume de faire... et j'ai repris mes habitudes d'aller aux maisons. Le monde me posait des questions au début, à savoir pourquoi j'avais été si long à venir faire mon tour... Après un bout, ils ont plus fait attention à moi. Moi, j'étais content. C'est quand le monde oublie ma présence que je me sens le mieux !

Toute une année avant de retourner chez Edmond. Je sais pas trop pourquoi, j'avais comme une gêne. Pourtant, c'est là où l'on a été le plus content de me revoir. Je l'ai bien vu, Camilla, même si elle aime pas à le montrer, elle s'était ennuyée de mes visites !

Les années qui ont suivi, j'ai gardé mes habitudes de ramer pour rien et de regarder le courant. J'ai pris l'habitude aussi de sentir le vent. Depuis toujours, je savais l'observer pour connaître le temps du lendemain et prévoir ma journée à l'avance. Mais là, je me suis mis à remarquer d'autres choses... Des choses inutiles. L'odeur du foin de dune. La douceur sur la peau quand le vent vient plein sud. L'air mêlé de sel si le vent vient de l'ouest. L'eau dans l'air par vent d'est et c'est pas bien plaisant, on est mouillé sans pluie. Franc nord, pour dire... ça arrive quasiment jamais, mais il y a tous les mélanges de vents possibles. Du nordet au noroît, du suroît au sudet, ça donne d'autres résultats aussi, dépendant de par où le vent est passé avant d'arriver jusqu'à toi.

Le monde a commencé à me trouver rêveur... moi qu'avais jamais été aussi attentif aux choses. Ces choses-là, elles avaient toujours été autour de moi. Après la mort d'Edmond, j'ai commencé à les voir.

Le film

L'été passé, j'ai été filmé. C'est dû à la boulangerie et à Marie-Louise. Des gens d'en dehors cherchaient une personne du canton qui avait toujours resté là et qui pouvait parler des changements survenus. Comme j'étais dans la boulangerie, Marie-Louise a fait ni un ni deux, elle leur a dit : « Prenez André ! Y'a pas meilleur pour vous montrer la place pis y'a pas plus connaissant non plus sur les affaires de par ici ». Je pense qu'elle avait parlé pour rire mais eux, ils l'ont prise au sérieux, et ils m'ont demandé si j'étais intéressé. Pour sûr, ça m'intéressait ! De toute manière, j'aurais passé mon temps à leur tourner autour et là, ils allaient me payer pour ! Mon travail était pas non plus bien malaisé. Je devais juste faire ma journée comme de coutume. Ils filmaient quand je revenais de la pêche et quand je me rendais dans les maisons vendre mon poisson. Mon départ en mer au matin, c'était trop tôt pour eux ! Comme de raison, je restais pas aussi longtemps dans les maisons qu'à mon habitude. La plupart du monde refusait de laisser la caméra entrer chez eux et ça aurait été plate en tabarouette de laisser la caméra dehors... à filmer la maison, pendant que moi, je serais resté tranquillement assis à l'intérieur ! Chez Évangeline à Arsène, là, ils sont entrés. Encore une différence à mes habitudes... Chez Évangeline, j'ai pas coutume de m'y attarder plus qu'y faut. Vu qu'elle reste seule à longueur de journée, ça lui faisait bien plaisir d'avoir du monde. Surtout, pour une fois, elle pouvait parler autant qu'elle voulait avec l'assurance d'être écoutée. Moi, accoté dans le coin de la porte, je trouvais le temps long ! Évangeline a peur de la poussière, j'ose pas m'asseoir et pour sûr, je peux pas fumer dans sa maison non plus ! J'étais content quand Jonathan, le gars de la caméra, il m'a fait signe qu'il était temps de partir de là.

Ils m'ont posé aussi toutes sortes de questions sur les anciennes accoutumances ou les choses s'étant passées dans le canton. Quand je pouvais pas répondre, je les amenais chez un vieux de ma connaissance. Finalement... j'étais quasiment rendu la vedette de leur film ! En tout cas, j'ai trouvé bien drôle de devenir tout à coup aussi intéressant. Je suis pas fou au point de pas me rendre compte qu'ils se servaient de moi pour faire drôle dans leur film. Je voyais leurs manigances. En seulement, ça me faisait pas un pli. Souvent, j'en rajoutais même un brin. Remarque, pas besoin de me forcer trop, avec mon allure !

Tout le monde était curieux avec moi. Les gens du film pour sûr, mais le monde du canton itou. Ils étaient un peu jaloux de pas y participer. Surtout à la fin, quand j'ai reçu un gros montant en paiement ! Je me suis pas gêné pour aller m'en vanter dans les maisons, en leur brassant les piastres au-dessous du nez. En particulier chez ceux toujours à bougonner à propos du film. Apparence, je faisais rire de moi et je perdais mon temps avec ces niaiseries-là ! La vue de l'argent leur a fermé la margoulette !

Un des plus curieux du canton, rapport au film, c'était Donald à Jérôme. Plus jaloux que curieux, je dirais. Donald à Jérôme, je l'aime pas plus qu'y faut, je l'ai jamais aimé. Pour dire la franche vérité, je peux pas le voir en portrait ! Pas une bonne personne, c'est certain. Toujours à parler contre les touristes alors qu'ils le font vivre. Oh, devant eux, prévenant et toujours avec des sourires pis des gentillesses. Avec moi aussi, il est fin et avenant. Mais j'y crois pas, à ses manières. Je lui fais pas confiance. Je vois pas pourquoi y ferait pas pareil avec moi comme avec les touristes ! Surtout... on a le même âge ! Et même si ma tête se souvient de rien, quand je le vois, c'est comme si mon corps se rappelait quelque chose... Ces souvenirs-là, ils ont pas un air bien plaisant. Alors mon poisson, je le vends aux maisons et au Café à côté, au fumoir itou mais jamais chez lui, à la poissonnerie. Et quand il me parle, je joue au fou, je fais comme si je l'entendais pas.

Les deux frères

Une drôle de famille que celle de Donald à Jérôme. À commencer par le père, Jérôme à Philiase. Lui, à la guerre, il s'était blessé dans les tout débuts. Renvoyé chez lui, il a reçu une pension d'invalide. Personne du canton a jamais cru à cette blessure-là... Jérôme à Philiase, après son retour, il continuait à braconner des cages et, pour braconner au homard, il faut de la force et de l'habileté ! Il faut travailler de nuit, en se cachant dans des endroits durs à aller. Braconner dans un endroit où tout le monde vit de la pêche, faut dire, c'est pas une occupation pour attirer la sympathie ! Il gardait pas d'animaux et faisait pas de jardin non plus... Apparence, il en avait pas la capacité ! Surtout assez rusé pour pas attirer l'attention du gouvernement sur lui. Drôle de bonhomme ! Je me souviens quand son plus jeune est né infirme. Tout le monde du canton lui disait comment c'était triste, un enfant malade de même. Lui, il riait, il trouvait pas ça bien grave, il aurait un gros montant pour s'en occuper ! Pour lui, ses enfants semblaient plus une source de revenus qu'autre chose. Dès qu'il avait le droit de les retirer de l'école, ça tardait pas, l'usine attendait. Faut dire pour sa déblâme, il était pas le seul. Dans le canton, c'était pareil partout, les parents sur l'assistance et les enfants à l'usine. Chez Jérôme à Philiase, aucun enfant passait jamais la porte de la maison, les adultes non plus ! Depuis la mort du père, il y a déjà une bonne escousse, rien a changé, cette maison-là est toujours aussi triste.

Chez Jean-Marc à Philiase, le frère de Jérôme, c'est tout le contraire. Là, il y a toujours du monde. Je sais pas, peut-être de comparer les maisons des deux frères fait paraître les choses pires qu'elles sont ? Les enfants à Jean-Marc à Philiase en tout cas, ils travaillaient pas à l'usine. Trop occupés, je crois bien, à aller au magasin acheter de la bière et des cigarettes ! Et à faire leurs repas... Pour sûr, pas des repas bien compliqués. Souvent des saucisses rôties ou du baloné. Du moins, ils mangeaient à leur faim. Quand ils étaient mal pris, le chèque d'assistance ayant passé en bières et en cigarettes, je laissais des poissons aux enfants. Même s'ils aimaient pas trop ça, c'était mieux que rien, en attendant le prochain chèque. Françoise buvait quasiment comme Jean-Marc à Philiase sur la fin. Elle s'était peut-être fatiguée de ramasser après les ivrognes ? Quand le chèque arrivait, elle se dépêchait d'aller au magasin acheter des choses à manger pour les enfants. Elle ramenait aussi une caisse de 24, par exemple, et elle attendait pas Jean-Marc pour s'en ouvrir une ! Dit de même, ça semble pas trop joyeux... pourtant, c'était une maison plaisante à aller. À la mort de Jean-Marc à Philiase, Françoise a arrêté de boire aussi sec. Même la maison remplie de buveurs, ça arrive encore, j'ai plus revu Françoise avec une bouteille. Sauf vide... pour faire le ménage !

Chez Françoise, le samedi soir, tout le monde est de bonne humeur. Ce soir-là, ils jouent aux cartes, à l'argent. Et ils rient pareil même quand ils perdent. Si parfois un mauvais perdant se met en maudit, c'est pas trop long... il est jeté dehors, et la partie reprend. La semaine d'après, tout est oublié. Le mauvais joueur peut revenir, personne lui fera de gros yeux. Je sais bien, leur façon de vivre paraît mal. Moi, pourtant, je les trouve du bien bon monde, chez Jean-Marc à Philiase... Lui aussi, comme son frère, il a fait la guerre. C'était à son retour des vieux pays, paraîtrait, qu'il s'était mis à boire. Apparence, il était moins intelligent que son frère, il est resté plus longtemps parti... jusqu'à la fin, il est resté. À son retour, c'était plus le même homme, paraîtrait. Il a plus travaillé ni au grand jour ni en cachette. Peut-être Jean-Marc à Philiase, c'était un homme trop doux pour la guerre ?

Ange

Les enfants de Jean-Marc à Philiase, ils semblaient pas malheureux. En tout cas, c'était des enfants dégourdis, toujours à rire, et qui avaient pas la langue dans leur poche. Pas comme ceux à Jérôme à Philiase ! Chez Jérôme, l'avant-dernière s'appelle Ange, un beau nom pour une petite fille. Moins facile à porter pour une femme, me semble. Maintenant, on peut le dire, c'est un ange pas mal triste... Petite fille, elle était belle à voir, délicate, avec ses grands cheveux couleur du sable toujours emmêlés. Pis intelligente avec ça. Elle, elle avait pas de problèmes à l'école, même si elle venait de la Pointe. Elle avait de bonnes notes et elle était jolie, ça compense les parents sur l'assistance ! Gênée, mais s'il y a de quoi, la gêne la rendait encore plus belle. Elle souriait souvent, sans partir dans des grands éclats de rire. On aurait dit qu'elle voulait surtout pas se faire remarquer. Un vrai petit ange ! Même avec ceux de sa connaissance, Ange, elle parlait pas fort. Pas épivardée pour un cent !

La Polyvalente a pas dû être facile pour elle, gênée comme elle était. Mais elle avait encore de bonnes notes. Quand elle recevait ses bulletins, elle passait les montrer chez son oncle Jean-Marc. Son oncle et sa tante étaient fiers d'elle, ils lui disaient. Manquablement, ce devait pas être le même discours chez ses parents ! Bonnes notes ou pas, arrivée à seize ans, elle a dû quitter l'école pour travailler à l'usine. Bien triste, je trouvais, d'imaginer ces mains-là, tellement délicates et avec autant de capacités, vidant du poisson à longueur de journée. Avec comme seule distraction, le changement de la sorte de poisson à arranger...

Elle revenait jamais en voiture de l'usine. Elle aurait pu, son grand frère était petit boss et il s'était acheté une voiture. J'ai pour mon dire, elle voulait faire partir l'odeur du poisson avec le vent pis l'air salin. Mais même rendue à la

Pointe, l'odeur envolée, elle souriait toujours pas. Sur son beau visage, le sourire était devenu une rareté. Les hivers, elle suivait des cours de secrétariat. Mais elle a jamais travaillé comme secrétaire. Finalement, l'usine a fermé et elle a travaillé à la poissonnerie de son frère. Encore à vider du poisson du matin au soir, sur une saison plus longue qu'à l'usine. Elle a grossi, jusqu'à ressembler à toutes les femmes de par ici. Et elle sourit plus pantoute.

Quand je regardais Ange, du temps où elle était petite, j'entendais les gens dire, et je me sentais vraiment fou. Juste à la regarder, on pouvait voir l'intelligence à travers elle. Et moi, pris avec autant de laideur... Comment une tête aussi laide aurait pu contenir une miette de cervelle ? Je voyais cette pensée-là dans le regard du monde. Je la remarquais dans le changement, entre le moment où ils entendaient juste ma voix et l'autre, où ils voyaient ma figure.

Je suis moins pire asteure, je pense. Même si à vrai dire, je me contemple pas souvent dans les miroirs... Petit, la peur était tout le temps avec moi. Là, elle s'est sauvée, on dirait. Et la peur, si c'est possible, ça m'enlaidissait encore.

Le monde peut être méchant en pas pour rire avec un enfant laid. Et les enfants entre eux... Tout le monde en est assuré, un enfant sans beauté est pour sûr imbécile... Et s'il l'est pas au départ, il le devient après un bout. Des fois, je me dis, ça doit être ma sorte de laideur qui rend le monde aussi sûr de ma folie. Moi compris ! Un peu comme quand les gens regardent les films et parlent des personnages. Apparence qu'une bouche faite d'une certaine façon, une bouche grande, rouge et mince, c'est un signe de méchanceté à coup sûr. Moi, avec ma sorte de tête... c'est un signe de bêtise assuré ! Oh, y'a pas juste ma tête. Mon corps au grand complet est une bizarrerie. Je suis drôlement allongé... Pas que je sois si grand, mais chacun de mes membres semble étiré et tordu. Ma tête aussi a l'air étirée, mon crâne, mes dents, mon nez, tout semble trop long. Comme si j'avais plus d'os dans le corps que le restant du monde. Pas facile d'imaginer une tête pareille disant des affaires intelligentes ! Quand j'étais petit, les autres enfants comprenaient pas comment j'étais possible. À la longue, en vieillissant, ils se sont habitués à moi. Le monde, ils sont moins méchants quand ils croient comprendre. Comme avec l'infirme... Tout le monde sait qu'il est né infirme, pas intelligent du tout, et personne prétend le contraire en l'envoyant à l'école. Et j'ai jamais vu personne lui taper dessus. Et lui, il est pas beau tout de suite non plus !

Si je suis au-dehors, près de la boulangerie, l'infirme vient me retrouver. Ma laideur l'attire, on dirait. J'ai rien contre, j'ai rien pour non plus. Il pense seulement à manger et moi, la nourriture, c'est pas mon fort. Me nourrir pour enlever la faim, ça va. Mais manger pour le plaisir, sans la faim à satisfaire, ça me dit pas grand-chose. Je préfère une cigarette ou parfois un petit cigare, si vraiment je veux me faire plaisir. Les discussions sont pas bien longues avec lui, son langage, c'est des grognements. Je réussis assez bien à le comprendre. Il veut toujours des choses simples. Attacher ses lacets ou ouvrir un sac de chips. Il parle par signes, en faisant des grimaces, ça rend pas sa compagnie bien plaisante. Ni déplaisante non plus, comme je l'ai déjà dit. Des fois, je ris par en-dedans à imaginer les sourires du monde qui nous regardent tous les deux. Les deux fous ensemble. Ils doivent bien rire – *qui se ressemble s'assemble*. Depuis longtemps, les moqueries du monde me glissent dessus comme la pluie sur les plumes du canard. Si ça les rend heureux...

Les jours de grosses chaleurs

À la boulangerie, durant les journées de grosses chaleurs, Marie-Louise, elle trouve le temps long. Tous ses clients sont sur les plages à se faire dorer la couenne et elle voudrait bien en faire autant. Endurer la chaleur, allongé au soleil, au plus fort de la journée, c'est pas pour moi ! Je préfère m'asseoir à l'ombre tout fin seul, avec juste le bruit du vent, celui des oiseaux, et ma cigarette pour compagnie. Des fois, je vais faire une petite visite à Marie-Louise. J'aime à voir comment elle est plus fine et plus avenante avec ses clients, les après-midi de chaleur. Elle essaie de les garder le plus longtemps possible. Elle leur fait remarquer comment on est confortable dans la boulangerie, avec les vitres ouvertes et une belle brise. Oh, ses clients lui donnent raison. Elle est bien mieux là au frais, plutôt qu'à la plage, où le soleil brûle. Manquablement, par exemple, une fois le pain acheté et le brin de jasette fini, ils retournent sur les plages. Des fois, j'arrive et elle lit un livre. Dans ces moments-là, j'achète ce dont j'ai besoin et je ressors. Elle me dira pas un traître mot. Trop occupée à le faire passer, elle a pas le temps.

Sa mère à côté, elle passe ses après-midi à lire. Elle est bien contente de se retrouver seule et tranquille. Elle se plaint pas, installée sur sa galerie, à l'abri du vent et du soleil. Quand je passe pour savoir si elle veut acheter des éperlans ou d'autres poissons pêchés dans la matinée, souvent je l'agace. Elle rit, elle se moque d'elle et de ses livres, et elle me répond à peu près toujours la même chose : « Ben oué, je l'sé André, c'é juste des folleries ces histoires-là, mais ça passe le temps... pis oué, apporte-moi z'en des ép'lans, on va manger ça pour souper avec ma gang de touristes ». En disant touristes, elle parle de ses enfants en vacances aux Îles, partis à la plage. Une blague à elle. Elle dit qu'ils font pas grand-chose à part aller à la plage et manger. Mais dans le fond, elle est bien contente. Quand ils sont tous à la plage, elle a son après-midi tranquille pour lire et en plus, elle garde le contrôle de sa cuisine. Les après-midi où sa fournée de pain cuit, elle se plaint de la chaleur... Mais au retour de la plage, sa gang de touristes se garoche sur son pain tout juste sorti du four, et ils lui disent qu'il y a rien de meilleur en ville. Dans ces moments-là, Camilla montre rien, mais elle est heureuse, et fière comme la reine d'Angleterre !

Les glaces

La maison à côté de chez Camilla, c'est chez Berthe. Une maison remplie du souvenir de son homme, perdu sur les glaces. Je dis perdu, je veux pas dire égaré. Je veux dire qu'il est mort là. De grand matin, pas loin en plus... au bord de la Pointe. C'était au début de l'hiver, et les glaces étaient pas encore bien prises. Il est passé au travers sans remonter. Un voisin a retrouvé son corps, trappé en dessous. Difficile à comprendre... Un homme avec autant d'expérience. Il devait être bien tracassé, pas à son affaire en toute. Un chasseur de loups-marins[4], il connaissait les glaces ! En tout cas... Berthe a drôlement réagi, comme si elle était pas surprise. Comme si son mari était déjà mort avant de se rendre sur les glaces.

Faut dire, c'était pas bien gai chez eux depuis un bout. Le malheur semblait là, à attendre. Pas d'enfant pour égayer la place, mais avec le goût d'en avoir, par exemple. Tous les deux instruits, avec de bonnes jobs. J'ai bien de la misère à comprendre... me semble, il y a quand même des belles choses dans la vie pour remplacer le rire des enfants. Il y a au moins le rire des enfants des autres. Mais ils voulaient en avoir à eux, juste à eux.

---

4. *Loups-marins* : phoques.

Berthe a continué à vivre de longues années dans sa maison et dernièrement, elle l'a mise en vente. Il était temps. Je sais bien pas où elle va aller, mais partir, elle aurait dû le faire bien avant. Remarque, il est jamais trop tard ! Chaque fois où je la voyais partir pour l'église, je le voyais, c'était une façon de se sauver de sa maison. Je le sais, j'étais une de ses rares visites. J'entrais et des voix s'arrêtaient de parler. C'était une bonne chose que je passe la voir, qu'elle disait... elle aimait la visite. Mais c'était pas tant moi qu'elle était heureuse de voir... ces voix-là, elle était contente de les voir se taire un brin. Ses fantômes, ils vont peut-être la suivre, mais me semble qu'ailleurs, elle va être plus forte. La dernière fois, je lui ai dit ! À sa place, je prendrais l'argent de la vente de la maison et j'irais en voyage. Elle a ri, j'en avais, des idées bizarres, « Voyager... comme si j'étais riche ! ». Mais son sourire contredisait ses mots. J'aimerais qu'elle m'écoute. Qu'elle parte et qu'elle revienne plus. Ça l'aiderait, de partir dans les vieux pays aider les enfants qu'on voit mourir de faim à la télévision. Même, ça pourrait peut-être la rendre heureuse. Ces enfants-là, ils appartiennent à personne. Des enfants abandonnés, comme ils disent. S'ils sortent pas de son ventre, c'est juste des douleurs en moins. Je vais lui dire la prochaine fois que je vais aller la voir, ça peut pas faire de tort. C'est pratique des fois d'être un innocent, on peut dire plein d'affaires sans fâcher le monde. Les dires d'André à Arsène, ça vaut ce que ça vaut !

Moi, je suis jamais allé chasser le loup-marin. Sur les glaces, j'y suis allé en masse, mais juste pour regarder. Le sang me dérange pas et j'ai rien contre. À preuve, je donnais toujours un coup de main, dans le temps, quand Edmond devait abattre un bœuf ou un cochon. Mais la chasse demande de l'organisation et j'aime pas à décider les affaires longtemps d'avance. Il faut un permis itou et il faut y aller en petits groupes, en escouades comme ils disent. J'aime pas non plus à me tenir en gang. Je suis un solitaire. Ça parle déjà assez dans ma tête sans avoir le besoin des pensées des autres. C'est pas comme du temps où Edmond était encore là. Il parlait pas souvent, Edmond. Lui aussi à jongler dans sa tête. Pas besoin de paroles pour se comprendre, juste un geste ou un regard, et on se comprenait... Il me manque, Edmond. J'aurais pas idée, par exemple, de le remplacer par quelqu'un d'autre. Des fois quand je suis seul, il revient me voir, il me parle. Surtout si je suis en maudit, si je me comprends plus et que je m'en vais seul jongler. Pour tout dire, ce sont pas des vraies paroles. Plus comme une caresse de l'intérieur. Un petit vent chaud. De le savoir là m'amène à voir les affaires plus d'adon, alors que juste avant, j'avais des envies de tout défaire.

Les loups-marins... les gens les trouvent beaux à voir sur les glaces. Moi, pour dire la vérité, c'est sans les loups-marins que je trouve les glaces les plus belles. Un grand vide au devant de toi qui fait disparaître tes pensées. Juste le vide. Du bleu, du blanc. Par exemple, beaucoup de sortes de bleus et de sortes de blancs. Toutes les variantes y sont. Ces couleurs-là, elles me calment. Quand les loups-marins sont là, c'est pas la même chose... D'abord, c'est bruyant, une mouvée de loups-marins, et ça sent fort. Pis tu dois être sur tes gardes. Des fois, il y a des loups-marins léopards mêlés aux autres, des malaisés ceux-là, il faut s'en tenir loin ! La banquise pleine de loups-marins, c'est distrayant. Certain, je suis trop curieux pareil pour pas aller les voir de proche. Apparence, je vais finir par marcher dans la mauvaise direction, pas regarder où je mets les pieds, et me retrouver pris sous les glaces, tout pareil à Yvan à Arthur !

Il y a bien de la chicane rapport à la chasse. À chaque année à l'ouverture, on voit ressoudre toute sorte de monde. Ils viennent filmer pour montrer aux gens de l'extérieur comment la chasse est pas une bonne chose. Dans les maisons, c'est le seul sujet sur les lèvres. La dernière vedette venue se faire poser sur les glaces avec un blanchon... ou bien les articles dans le journal. Dans le canton, ça grimpe dans les rideaux. Pour sûr, c'est truqué, leur affaire. Je les vois faire... je sais comment ça se passe sur les glaces... et je vois comment c'est montré après. Je vois la différence ! Des fois, je me demande s'il y a du vrai dans tout ce qu'on voit à la télévision ? Comme la fois où on a vu un homme marcher sur la lune ! Il y en a, ils croient dur comme fer que c'est vrai, ils l'ont vu à la télévision. Voir si ça se peut ! En tous les cas, j'ai bien hâte de voir le film où je suis dedans. J'espère que ça sera pas aussi différent de la réalité que les émissions sur les loups-marins. Sinon, je vais être rendu le génie de la place pour sûr, et les Îles vont être déménagées à Montréal !

À Montréal, j'y suis jamais allé. J'imagine pas la ville trop dans mes goûts. Ça semble aller terriblement vite par là, et la vitesse, c'est pas mon fort. Comme ceux qui passent en fous sur leurs voiles, avec juste une pointe de l'embarcation qui touche à la mer. Ils font une de ces vitesses ! Des fois, ils frôlent mon doré sur la baie de Bassin. Je les comprends pas. Ils ont pas le temps de rien voir ni même de rien sentir. Ils aiment la vitesse et le vent qui les fouette. Pourtant, quand il vente à décorner les bœufs, il y a personne dehors à marcher ! La différence quand tu vas vite, tu contrôles tes affaires et tu te sens fort. Et quand c'est le vent qui te brasse de lui-même, c'est la nature, la plus forte, elle décide pour toi ! Moi pareil, si je marche sur les dunes par gros vents, je me sens fort, à combattre pour mettre un pied devant l'autre. J'avance pas vite. C'est plus à mon goût. Plus dans mes cordes. En tout cas, à les regarder aller avec leur vitesse, ça me donne pas envie de voir la ville.

Même aller en machine, j'aime pas trop. Des fois, je prends des *lifts* pour me rendre de l'autre bord et c'est rare que je regrette pas mon coup. J'aime mieux marcher. Même en hiver où tu te gèles les doigts en portant tes sacs. De toute façon, il y a pas grand-chose à faire sur les Îles en hiver... aussi bien pas se dépêcher de faire ce qu'on fait !

J'aime pas non plus à me sentir enfermé. Alors c'est certain, les machines, c'est pas bien plaisant pour moi.

Mes goûts sont différents de la plupart du monde... Comme à la plage, moi, j'aime bien mieux m'y retrouver par gros temps. Quand la mer est en furie et qu'elle charrie au bord toutes sortes d'agrès qui viennent de loin. Et le vent te brasse. Chaque poil de ta peau sent le vent pis en est ragaillardi. Jamais personne dehors dans ces temps-là. Une fois le vent calmé un brin, les gens de la place viennent voir si la mer aurait apporté des bonnes choses. Pour moi, les plus belles mers, les plus fortes, on les voit au printemps, de bonne heure, ou à l'automne, tard. Au temps où les Îles sont les plus désertes. Pas un temps pour touristes, un temps de violences. Le vent et la mer se déchaînent et si on se tient dehors, on se sent libéré. Comme si le vent, en nous brassant, nous rendait plus vivant. J'ai souvent entendu le monde dire que les gros vents les rendaient comme fous. Moi, pour sûr, le vent peut pas y changer grand-chose ! Bien au contraire, le vent me calme, c'est drôle pareil !

Il y a une chose, par exemple, que j'ai fait un jour, tout pareil aux touristes. Une fois, j'ai pris le traversier... En cachette, pour pas avoir à répondre aux questions. Faut dire, c'était pas vraiment prévu... J'avais traversé l'Havre-aux-Basques à pied. En plein dans le gros de la saison, et il faisait une de ces chaleurs ! Fin juillet, je crois bien. J'avais commencé à marcher dans les quatre heures du matin. Une heure plaisante pour prendre l'air sans danger de rencontrer du monde. Arrivé de l'autre bord, je me suis promené d'une embarcation à l'autre au quai de Cap-aux-Meules. Je m'arrêtais des fois pour parler avec un pêcheur occupé à travailler son gréement. On le voyait bien, la journée allait être chaude et je regrettais mon coup. J'allais devoir marcher au gros soleil pour revenir. Je suis allé voir le traversier, en pensant à demander un *lift* pour retourner chez nous. Une fois là, je me suis mis à regarder le monde débarquer en oubliant mon idée. L'embarquement a commencé, et je me suis dit que j'étais pas plus fou qu'un autre, je suis monté à bord ! Mêlé aux touristes, je me suis laissé porter en regardant la mer. J'ai passé toute la traversée dehors, accoté au bastingage, les yeux fixés au large, sans parler. Je suis pas descendu à Souris, j'y connais pas un chat. Pendant l'arrêt, un jeunot de Fatima, je l'ai reconnu à son accent, m'a dit que comme je descendais pas à Souris, j'avais juste un aller à payer. Je pouvais aller chercher mon billet tout de suite, c'était plus tranquille avant l'embarquement. J'ai fait comme il a dit. Je connaissais pas le gars des billets non plus. Après, je suis ressorti dehors et j'ai passé le retour tout pareil à l'aller. À Cap-aux-Meules, j'ai eu bien envie de rester à bord et de refaire la traversée de nuit, mais j'avais faim. Je me suis mêlé aux touristes, j'ai montré mon billet comme si de rien n'était et je suis retourné chez nous sans que personne en ait eu connaissance. Ça me fait rire quand j'y repense. Comme un tour joué aux commères et aux fouineux du canton.

| Les jours de pluie

Des fois, le temps est à la pluie plusieurs jours d'affilée. En automne surtout, pis au printemps souvent. Pas du temps facile... Je sais pas lire, je peux pas le passer avec des livres. Et quand mes rechanges sont tous mouillés, je dois rester en-dedans et attendre de sécher. C'est certain, je passe plus de temps en visite par ces températures-là, mais je finis par me sentir de trop. J'ai jamais appris à jouer aux cartes et le monde me trouve inutile dans les soirées. Manquablement, arrive un temps où je me retrouve chez nous tout fin seul.

Maman et papa sont morts. J'ai une grande sœur, Julie elle s'appelle. De Julie, je peux pas dire grand-chose. J'ai sa photo, elle date du temps où elle habitait encore ici. En vrai, je me rappelle pas d'elle. J'arrive pas à la voir dans mes souvenances. Apparence, elle écrivait à maman et, après sa mort, elle a plus écrit. De toute façon, papa savait pas plus lire que moi. Les vieux prétendent qu'elle est partie pour Montréal à dix-huit ans sans jamais revenir rapport à papa... Une fille bien gentille, d'après Edmond. J'avais tout juste sept ans à son départ. C'est jeune, et en plus, c'était ma période difficile juste après l'école. Ça explique pourquoi je l'ai oubliée. Des fois, je peux passer un grand bout de temps à regarder son portrait. Certain, c'est pas une beauté, mais elle a une grande douceur dans les yeux. À chaque fois, j'ai envie de lui retourner son sourire.

J'aimerais qu'elle revienne me voir. Je sais, ça arrivera pas. Pourquoi faire elle reviendrait ? Mais c'est toujours permis d'espérer... Des fois, j'imagine des choses... Je rêve de Julie qui revient vivre ici avec une trâlée⁵ d'enfants. Les enfants courent partout dans la maison. Je leur ai même trouvé des noms. Trois filles, deux gars et tannants à part ça ! Je sais bien, c'est juste des folleries. Moi, les enfants en plus, je les vois tout jeunes, et Julie est bien trop vieille pour avoir des enfants en bas âge ! Compter, je le sais un peu. En tout cas, c'est ma façon de faire passer le temps. Pis c'est peut-être les petits-enfants de Julie que je vois dans mes imaginations ? Ça revient au même pour moi, il y aurait pareil des enfants dans le paysage... Julie qui a envie de revoir les Îles et elle emmène ses petits-enfants en vacances, elle vient voir la maison et elle me trouve, moi. Moi, son frère oublié. Et là, elle se sent mal et elle décide de rester. Tous les étés, les jeunes viennent nous voir. Pis on est heureux quand ils arrivent, et tristes quand ils repartent...

C'est toujours par temps de pluie que je pars dans ces folleries-là. Des fois, je vais fouiller dans la malle que j'ai

---

5. Une trâlée : une grande quantité.

sortie de la chambre des vieux. Les jours de pluie, j'en ressors les lettres jaunies. Je vois pas de qui ça pourrait être sinon de Julie. Si Edmond était encore vivant, je lui demanderais de me les lire. Avant, les lettres me disaient rien mais depuis mes folies à imaginer le retour de Julie, j'aimerais savoir si je suis dans le vrai, si elle a vraiment eu des enfants ? Il faudrait bien les lire avant que les écritures deviennent illisibles et que les lettres tombent en poussière. Tout le temps que dure la pluie, je réfléchis à qui le demander puis, manquablement, quand le soleil revient, ça me sort de la tête jusqu'à la prochaine grosse pluie. Par exemple, c'est pas si facile qu'il y paraît de trouver quelqu'un pour les lettres. Il me faut trouver une personne de confiance, assez fiable pour pas changer les choses écrites à sa convenance et qui ira pas radoter non plus dans les maisons. Je vous jure, c'est malaisé à trouver dans le canton !

| La musique

Il y a autre chose aussi que j'aime faire tout pareil aux touristes. C'est écouter la musique qui sort du Vieux Treuil. Écouter, ça me suffit. Pour tout dire, voir la personne jouer me dit pas grand-chose. J'écouterais moins bien, me semble. Une salle remplie à craquer, serrés les uns sur les autres, je vois pas ce qu'il y a de plaisant là-dedans. La première fois, je traînais en arrière du Café, je ramassais des bouteilles vides, les gens les laissent traîner, et pourtant, ils valent de l'argent si on les rapporte au dépanneur. J'ai entendu la musique sortir de par la porte ouverte. Une chaude soirée de juillet. Je me suis rapproché. Il y avait du monde à côté, à écouter en faisant semblant de juste se reposer là. Je me suis accoté sur le mur de derrière. J'ai plus bougé... La première fois où j'ai écouté de la musique pour vrai !

Maintenant, je refais toujours la même chose... Je m'appuie sur le mur, le dos et la tête collés sur les planches de bois, la mer en face de moi, et j'ouvre les oreilles.

L'été, il y a souvent des spectacles et je vais faire mon tour sur La Grave, tous les soirs où il y aurait des chances d'en avoir un. Des fois, c'est pas trop dans mes goûts, mais d'autres fois, je voudrais jamais en voir la fin. J'arrive de bonne heure pour être certain de rien manquer et pour être sûr de pas me faire piquer ma place itou.

Une soirée où comme d'adon j'arrivais encore plus de bonne heure que de coutume, j'ai vu une toute jeune fille entrer dans la place avec un grand instrument noir. Elle avait l'air bien douce et j'ai pas pu faire autrement que de la suivre des yeux. Après, mes jambes ont suivi. Accoté au cadre de la porte ouverte, je l'ai vu sortir son bel instrument. Tout en bois, avec des cordes; un violoncelle, ça s'appelle. Le propriétaire de la place est arrivé, bien énervé d'avoir de la si belle visite, et il m'a bousculé en passant. Oh, c'est une bonne personne, Marc à Théophile, il m'a juste pas vu... Des fois, pour le monde habitué à moi, je suis quasiment invisible. Et je me suis tassé de là pour pas être dans les jambes de personne.

Apparence, elle est belle à voir jouer. J'ai entendu quelqu'un dire qu'elle parle avec son violoncelle. Elle chante un langage qu'elle s'invente. Elle fait des sons, on croirait des mots. Mais ces mots-là, ils veulent rien dire... Moi, j'ai compris les histoires qu'elle raconte. Une grande conversation avec la mer, où le vent se mêlait de ce qui le regardait pas. De temps en temps, il emportait un bout de musique avec lui...

Longtemps après la fin de la musique, je suis resté accoté au mur. Je continuais de l'entendre même si elle jouait plus. Au retour, l'histoire a continué. Jamais de ma vie je m'étais senti aussi bien. Le lendemain, le sourire était encore figé sur ma face et il a provoqué les moqueries du monde. Ils pouvaient rire autant qu'ils voulaient, j'étais pas atteignable. La musique restait dans ma tête et tout me semblait plus beau. À chaque fois où je retourne sur La Grave, j'espère la voir. J'espère qu'elle va jouer. Je suis content d'entendre les autres mais cette musique-là est différente. Elle me parle directement, comme si elle avait été faite juste pour que moi, le fou, je puisse la comprendre.

Si jamais elle revient en tout cas, je suis fin prêt ! L'autre jour, je suis allé au centre d'achats avec Pierre à Charles, me gréer en linge. Comme de raison, je l'ai suivi pour ses commissions... Je suis pas capable d'être là-dedans tout fin seul. Et je dois pas trop regarder autour en passant dans les corridors, sinon je deviens étourdi. Le magasinage doit pas durer longtemps non plus. Je suis habitué avec Pierre à Charles et lui, il est habitué à moi. C'est de cette façon-là que je me suis retrouvé dans le magasin à musique. Pierre à Charles, c'est un violoneux et il avait besoin d'un outil pour enregistrer sa musique et se réécouter. Du moment où j'ai eu compris, tout de suite je lui ai demandé s'il me montrerait à m'en servir si j'achetais une machine moi aussi. Il m'a regardé d'un drôle d'air mais il a pas eu le temps de répondre. Le vendeur me donnait déjà du monsieur et il m'expliquait comment fonctionnait l'appareil. Pas bien compliqué. Seulement cinq boutons avec des dessins. Juste le bouton pour enregistrer a pas de dessins, il est rouge et tout fin seul, il est facile à trouver ! Par chance, Pierre à Charles a dit en riant : « Oublie pas les batteries ! » Pour sûr j'y aurais pas pensé ! Avec ses blagues, j'ai compris itou comment les changer quand elles fonctionneraient plus. Je me suis gréyé de batteries et de petites cassettes en masse. Un moyen gros bill ! Bien d'adon, j'ai toujours de l'argent sur moi. Des fois, le monde me disent que j'ai pas d'allure, que c'est pas prudent. En tout cas, cette fois-là, j'étais bien content d'avoir mes poches pleines de piastres.

Jusqu'asteure, j'ai enregistré pas mal de choses. Le souffle du vent, les oiseaux, de la musique, pour sûr... pis moi. Les choses que je pense, que je dis à personne... Cet hiver, je vais réécouter les oiseaux et la brise douce d'été. En décembre, dans la noirceur et les pluies froides. Avec la musique par exemple, il y a pas seulement du bon : depuis ma découverte des spectacles sur La Grave, les hivers me paraissent longs !

Des fois, c'est certain, je vais dans les maisons où il y a de la musique. C'est bien rare les choses à mon goût. C'est la radio presque tout le temps. Plus de parlure que de musique et j'y comprends pas grand-chose. Comme du bruit pour pas s'entendre penser... Louis à Edmond aussi, il fait jouer de la musique. Une musique qui me donne envie de sourire, c'est déjà bon. Il doit être seul dans la maison pour l'écouter, par exemple. Les autres aiment pas le western et il y a toujours quelqu'un pour l'enlever si sa musique joue. Louis à Edmond, c'est pas un ostineux. Il attend la maison vide pour l'écouter. Je l'écoute avec lui des fois, mais faut dire, je suis pas des plus à l'aise, tout seul avec lui. Des fois, je me dis, c'est sa gêne... tellement grande qu'elle prend toute la place. D'un autre côté, je le vois bien, il est pas avec moi comme avec le reste du monde. C'est moi qui le gêne, on dirait. Y m'a jamais fait de mal, ça c'est sûr, je le sentirais même sans m'en souvenir. De toute façon, à part quand il a trop bu, Louis ferait pas de mal à une mouche. Et il est plus fin avec moi qu'avec n'importe qui d'autre. C'est pas un grand parleur, pas facile d'apprendre des choses de lui. Et depuis la mort de son père, il est encore moins jasant.

Il s'entendait bien avec son père, même si tous les deux se disaient pratiquement jamais un mot. Ils se comprenaient sans besoin de paroles. Avec sa mère, c'est différent. Faut dire, j'ai rarement vu mère et fils plus dépareillés. Avec la mort du père, c'en était même épeurant de les imaginer tous les deux tout fin seuls, sans Edmond au milieu pour tranquilliser les choses. Pourtant, tout le contraire s'est passé. Ils se parlent moins, une bonne chose, et ils sont devenus tous les deux plus doux. Louis boit pas moins qu'avant, en seulement, il se met plus en maudit. Et sa mère rechigne moins après lui, elle le laisse tranquille avec sa bière, en arrière de la maison, à l'abri de la porte du petit magasin[6].

Des fois, dans les familles, il y a des choses dures à comprendre. C'est comme Edmond avec ses frères et sœurs. Une petite famille pour l'époque, trois gars, une fille. Le plus vieux, Antoine, était aussi différent d'Edmond qu'on peut imaginer. Pourtant, ces deux-là s'entendaient à merveille. Faut dire qu'Edmond, il s'entendait quasiment avec tout le monde ! Avec les deux autres, par exemple, ils se voisinaient pas souvent. Trop occupés à brasser des affaires pour venir prendre un petit gin avec Edmond. Antoine, lui, c'était un taciturne. Les gens du voisinage passaient leur temps à parler contre sa femme, à Antoine. Ils plaignaient Antoine d'avoir à l'endurer, une folle ils disaient. Moi, je me suis souvent demandé lequel devait endurer l'autre ! Antoine, il avait l'air doux... c'était juste des apparences d'après moi. Une rage était cachée au fond de cet homme-là qui faisait peur à voir. Le monde, souvent, ils se rendent juste compte des choses sous leurs yeux et même si ça leur pend en-dessous du nez, la plupart du temps ils voient toujours rien. En tout cas, Antoine, il me faisait peur. Et j'ai pour mon dire, il fallait une femme forte ou peut-être un brin folle, comme sa Fernande, pour oser l'affronter. De toute manière, dans une petite place comme ici, il faut pas en faire beaucoup pour se faire remarquer. De là à passer pour fou...

---

6. Petit magasin est employé dans le sens de petite remise.

Le cheval

Antoine, il a toujours eu un cheval. Un cheval pour les labours et pour les foins. Il a jamais cultivé la terre. En vrai, c'était surtout pour son plaisir qu'Antoine gardait un cheval. Avec son cheval, il cultivait la terre à Edmond. C'était beau à voir travailler, ce cheval-là! Surtout, j'aimais à le regarder faire les foins. Habile en mautadit! Il travaillait pratiquement tout seul! Antoine, sa part de foin nourrissait son cheval et la même quantité permettait à Edmond de nourrir plusieurs vaches et... sa famille, en bout de ligne! Edmond le fournissait en patates. Le meilleur, c'est quand ils allaient ensemble sur la dune pour ramener du bois de grève. Les voir revenir après, avec le bois sculpté sentant la mer... Promenant les odeurs de grand large de chemin en chemin. Un beau cheval blond comme le bois de grève, comme le foin mûr itou. Quand il était avec son cheval, Antoine semblait moins mécontent qu'à l'accoutumée, heureux même!

À la mort d'Antoine, le cheval a été vendu et Edmond s'est gréé d'un tracteur. Louis s'en occupait. Je vais vous dire, ça allait pas mal moins bien. Quand on sait y faire, un cheval se manœuvre pas mal mieux qu'un tracteur. C'est certain, un tracteur mange pas de foin, mais il prend de l'essence et il faut l'entretenir. J'ai vu Louis à Edmond plus souvent penché sur le tracteur qu'Antoine à brosser son cheval! Pis le brossage avait l'air plus plaisant, autant pour le cheval que pour Antoine! Dans le canton, il y a bien encore des chevaux, mais c'est des chevaux de course. Bien beaux à regarder dans leur parc mais on les voit jamais travailler. Comme un bel outil toujours astiqué qui servirait jamais. Mes dires sont pas tout à fait justes, ces chevaux-là sont bâtis pour la course, pas pour le travail. Attelés à une charrue, ils feraient pas long feu! Mais moi, ça me manque de voir un cheval à l'ouvrage. Surtout au temps des foins.

C'est rendu, ils enroulent le foin en mange-malos[7] de plastique, on voit même plus de butterons de foin à sécher au soleil. Pour sûr aussi, les baraques[8] servent plus... personne aurait idée de mettre des mange-malos dans une baraque ! La dernière baraque du canton, c'était celle à Edmond et ils l'ont débâtie après sa mort. Je me demande bien pourquoi ! Même vide, je trouvais ça beau à regarder. Les touristes aussi pensaient comme moi. Il y en avait toujours d'arrêtés là, soit à la prendre en photo, soit à en faire un portrait. C'est peut-être ça... ils étaient peut-être tannés de voir du monde tourner autour du terrain ? Ou ils avaient peur du feu ? À la vérité, je crois qu'ils l'ont juste débâtie vu qu'ils en avaient plus le besoin. Sans penser à la beauté perdue.

La Jeune

La plus jeune était triste, l'été où elle a vu l'étable sans la baraque à côté. Déjà, il y avait plus de jardin... Je l'ai entendue s'en plaindre à Marie-Louise à la boulangerie. Elle vient moins souvent de ce bord-ci. De toute façon, les choses qu'elle aimait, qui lui rappelaient ses souvenirs d'enfant, elles ont disparu. C'est elle, je trouve, qui ressemble le plus à son père. Pas par le physique pour sûr, mais par ses façons. La Jeune était toujours au-dehors. Chaque printemps, dans le jardin, elle faisait les semis avec sa mère. Pas forte sur le désherbage, je crois bien, mais quand le temps des récoltes était là, par exemple, je la voyais aller et venir, chargée de légumes. Pour les foins, la Jeune était toujours la première prête. Sûr pour elle, c'était plus un amusement

---

7. *Mange-malo* : guimauve (de l'anglais : *marshmallow*).
8. Baraque : toit en bois actionné par des poulies et servant à entreposer le foin.

que du vrai travail. À sauter dans le foin pour le tasser dans les baraques... Elle travaillait pareil ! Au raclage, à retourner les tas, à faire des butterons et à courir à la maison chercher de l'eau ou faire les messages...

Maintenant, aux vacances, elle s'installe chez une autre de ses sœurs à Havre-aux-Maisons. Et elle vient faire un tour pour voir sa mère de temps en temps. À chaque fois qu'on se croise, elle me salue. Dans ses yeux, il y a jamais de moquerie ou de pitié. Juste un regard normal... C'est rare pour moi ! On s'est pas parlé depuis qu'elle était petite fille, du temps où elle apprenait à compter. Moi, j'étais quasiment un homme, mais je savais toujours pas mes chiffres et ça me manquait rapport à l'argent et aux ventes de poissons. La Jeune m'a appris... sans rien laisser paraître. Elle s'exerçait en comptant tout ce qu'elle voyait dans la maison. Ses frères et sœurs la trouvaient tannante, mais ils pouvaient pas s'empêcher de lui dire si elle se trompait et d'expliquer, en se moquant pour sûr. Elle a appris, et moi avec elle en la voyant faire. J'ai même appris à faire des additions et des soustractions de cette façon-là. Je sais bien, elle faisait exprès de se pratiquer quand j'y étais. Elle parlait à voix haute pour que je comprenne. Tous les deux, on faisait comme si de rien n'était. Elle doit avoir oublié asteure. C'était une toute petite fille dans le temps, six ou sept ans, pas plus.

Je sais pas ce qui m'a pris ce coup-ci. En la voyant, j'ai repensé aux lettres de Julie et quand elle m'a souri, j'ai été incapable de me retenir, c'est sorti tout seul. Je lui ai dit que j'avais des lettres chez nous, que j'aimerais bien si elle pouvait me les lire, comme moi je savais pas. Elle m'a répondu bien doucement que ça lui ferait plaisir et m'a demandé quand je voulais les apporter chez sa mère. Je me suis trouvé bloqué. J'avais pas prévu mon affaire à l'avance et je voulais pas lui apporter les lettres chez sa mère. Ça non, pas question, bien trop curieuse, la Camilla. Je pouvais pas non plus lui demander de venir chez moi, bien trop d'écornifleux aux châssis[9]. Je me trouvais mal pris. Je savais pas quoi répondre. Un grand bout de silence a suivi où on parlait ni l'un ni l'autre. Finalement, c'est la Jeune qui a réglé la question. « J'te comprends, André, c'est pas une bonne idée, chez maman. On pourrait aller chez Marie-Louise, quand a travaille à la boulangerie. Dimanche prochain, je viens dîner. Si tu veux, apporte les lettres avec toi pis je sortirai te voir quand le repas sera fini. Je dirai rien aux autres, aie pas peur. Je vais prétendre aller prendre une marche au bord de l'eau, comme j'ai l'habitude de faire. Y se douteront de rien. »

J'ai trouvé l'idée bien pensée de sa part et j'ai fait oui de la tête, trop surpris pour parler. C'est rare quelqu'un d'aussi fin avec moi. Ça arrive, c'est sûr, mais il y a toujours une blague ou deux pour enlever le malaise. Par ici, on dirait que le monde, ça les gêne d'être bons. La Jeune, elle a fait ça comme de rien. Tout le portrait de son père ! J'avais l'impression de parler avec Edmond, l'accent en moins !

Le dimanche d'après est arrivé vite... Pour dire, dimanche, c'est demain ! Depuis le début de la semaine, je tiens plus en place. Je regrette mon coup mais maintenant, il est trop tard pour retourner en arrière. J'aurais l'air encore plus fou. Je me croyais juste curieux rapport au contenu des lettres. Là, je le vois bien, j'ai peur itou. Les choses seront plus pareilles après, me semble. Ma sœur va devenir en vie pour la première fois pis manquablement, tout ça pour rien. Elle est peut-être morte à l'heure qu'il est. J'aurais dû me fermer la boîte et continuer à vivre tranquille, comme je l'ai toujours fait. Je pourrais dire que je retrouve plus les lettres, mais je peux pas conter d'histoires à la plus jeune à Edmond. Je peux pas faire ça.

---

9. Le châssis est utilisé pour désigner la fenêtre.

| LES LETTRES...

J'ai apporté seulement la première lettre, celle qu'avait l'air la plus vieille et qui se retrouvait en dessous du paquet. Celle ayant l'air d'avoir été lue bien des fois. Aussi fripée qu'une vieille de l'hospice. Juste une. J'étais pas trop sûr de mon coup. J'ai amené ma petite machine, bien certain de pas déranger la Jeune en l'enregistrant. J'ai bien écouté mais faut dire, j'étais tellement nerveux, en vrai, j'ai rien entendu. Je suis revenu à moi quand la Jeune m'a dit que si je voulais, elle était d'accord de faire pareil le dimanche d'après. J'ai fait oui de la tête, pas certain d'en avoir envie, mais pas capable de m'en empêcher non plus !

J'ai réécouté cette lettre-là toute la semaine, une bonne vingtaine de fois avant de la comprendre d'un bout à l'autre...

Montréal, 29 juin

Bonjour, maman
Je suis vraiment désolée de ne pas avoir écrit plus tôt. Vous deviez être inquiets, je sais... J'ai essayé plusieurs fois, sans réussir à trouver le courage. Je crois que j'avais besoin d'une coupure. De temps aussi, pour essayer de me comprendre, et pour retrouver un certain équilibre. Surtout, pour en avoir la force. Pour t'écrire, je dois me replonger dans le passé. Et je voudrais pouvoir tout oublier, les Îles, la famille, ma vie

d'avant. Je vous aime de tout mon cœur. Vous ne méritez pas la peine que je cause. Et j'ai besoin de te parler aussi. Mais sincèrement, je n'étais pas capable jusqu'ici de faire autrement. Je te demande pardon pour tout ce temps sans nouvelles. Ici, tout va trop vite. Je me demande si j'arriverai à prendre le rythme de la ville. Depuis plus de trois mois, je suis toujours aussi décalée. Huguette à John qui était sur le bateau m'a aidée à trouver un bel appartement au centre-ville. Ce n'est pas cher et pourtant, si tu pouvais le voir! J'habite au troisième et dernier étage et j'ai de très grandes fenêtres, un beau plancher avec des petites lattes de bois et, imagine, j'ai un bain, une douche, un poêle électrique, un frigidaire! C'est le grand luxe! J'aime surtout la cuisine peinte en jaune et blanc, et pleine de lumière. J'ai une table et des chaises rondes, jaunes elles aussi. Et j'ai trouvé un travail. Le premier endroit où j'ai osé demander, en fait. Au début, je lavais la vaisselle et personne ne comprenait quand je parlais... Il faut dire, j'étais tellement gênée que j'ouvrais à peine la bouche... Mais je suis vite passée serveuse. Je reçois des pourboires et je fais plus d'argent que j'en ai vu passer dans toute ma vie d'avant. Je me suis vite habituée à la façon de parler et maintenant, personne ne me fait plus répéter. Mon accent semble disparu. Je suis bien contente de passer inaperçue.

Depuis mon arrivée, je marche énormément, c'est ma façon d'explorer la ville. Je suis étonnée de voir autant de laideur et de beauté côte à côte. De richesse et de pauvreté. Les arbres dans les parcs m'impressionnent, ils sont si grands! Je me suis acheté un livre pour les identifier et je le traîne toujours avec moi. Les rues que je préfère sont celles pleines d'arbres et avec des escaliers de métal peints de toutes sortes de couleurs. Au cours de l'une de mes marches, une grosse averse m'a surprise et je me suis abritée dans un cinéma. Je suis rapidement devenue une mordue de cinéma. Quand j'y vais, j'oublie tout. Et j'y vais souvent... presque tous les soirs où je ne travaille pas, des fois même, j'y vais après mon travail.

J'ai une amie au Café, Mireille. Elle vient de Montréal.
Il y a une belle complicité entre nous. Tout de suite, elle a senti
que je ne voulais pas parler de mon passé et elle a inventé que
j'étais du Bas-du-Fleuve. Une région qu'elle connaît bien, elle
y va depuis l'enfance, chez son grand-père. Au début, j'étais
mal à l'aise avec ce mensonge mais personne ne semble s'inté-
resser à cette région et on me laisse en paix, sans me poser de
questions. Elle est folle de cinéma elle aussi. Mireille m'aide à
retrouver le sourire.
    Ne t'inquiète pas pour moi, je vais de mieux en mieux. Et
je te promets de t'écrire régulièrement à l'avenir.
    Pardon encore pour l'inquiétude que je te cause.
    Avec tout mon amour,

    Julie, xxx

La lettre m'a fait jongler en pas pour rire. Pour dire...
ça me fait quelque chose d'entendre Julie vouloir tout oublier. Certain, on n'était peut-être pas une famille tout à
fait normale... mais me semble, c'est dur de pas rester attaché un peu, à un petit bout de sept ans. Pourquoi vouloir
autant oublier les Îles ? Elle semblait triste... Il devait s'être
passé quelque chose pour lui faire de la peine et la forcer à
s'en aller. Je vais sûrement mieux comprendre dans les prochaines lettres. J'étais content pareil de l'entendre parler.
Pour elle, une nouvelle vie commençait, pour moi, c'était
nouveau itou.
    Certain, la lettre a occupé mes pensées toute la semaine.
J'arrêtais pas d'y jongler. J'ai fait mon ouvrage sans m'en
rendre compte. Je me suis même trompé de maison pour
livrer mon maquereau. Le pire, personne m'a dit mon erreur !
Ils ont pris mon maquereau comme de rien et après, je
me suis fait accoster par Berthe... Elle me trouvait pas
bien fiable, à promettre des affaires et à pas tenir parole.

D'autant qu'elle m'avait vu apporter du maquereau chez Welly! J'ai fait l'innocent et, pour sûr, ça a assez bien marché! En seulement, Berthe, elle comptera plus sur moi pour son maquereau!

Dimanche est arrivé et j'étais content. Même si j'ai regretté toute la semaine de m'être embarqué dans cette histoire-là. La curiosité prenait le dessus. Cette fois-ci, j'ai apporté le paquet de lettres au complet.

En voyant le paquet, la Jeune a fait un drôle d'air. Elle a vérifié les dates, les lettres étaient déjà en ordre, pis elle a dit : « Je sais pas comment tu veux faire, André, mais dimanche prochain, c'est mon dernier jour aux Îles, pis y'a 31 lettres encore. J'arriverai jamais à te lire tout ça! » J'ai pris mon temps avant de répondre. Je lui ai dit que j'allais penser à mon affaire d'ici dimanche. Et aujourd'hui, si elle avait le temps, elle pourrait m'en lire deux à la place, pour avancer un brin? Elle était d'accord et elle a lu un peu plus vite que l'autre fois. Une belle journée de soleil, les autres devaient l'attendre pour la plage. De toute façon, j'avais mon enregistreuse. Bien d'adon encore cette fois-là. J'ai pas été en mesure de comprendre grand-chose du premier coup. Je l'ai juste regardé lire, j'ai même pas fait semblant. J'aurais tout mon temps après, pour écouter à mon aise.

En partant de chez Marie-Louise, j'ai laissé mon paquet de lettres chez nous en passant, et j'ai continué vers le bas de la baie. Il y a un endroit, à l'ombre des varnes[10], un coin où personne passe. J'aime m'installer là. Les jours de grosses chaleurs, il m'arrive même de m'y endormir. Des fois, j'y passe un grand bout de temps à regarder les voiles. À cette distance-là, on dirait jamais qu'elles vont vite comme de proche. C'est là où je me suis placé pour écouter les deux lettres, une à la file de l'autre.

---

10. Varne : déformation du mot vergne, nom commun de l'aulne noir. Sous l'effet du vent salin, les aulnes poussent de façon arbustive aux Îles-de-la-Madeleine.

Bonjour, maman

Le temps a passé vite depuis ma dernière lettre. Parfois, j'aimerais m'asseoir en regardant la mer et ainsi, arrêter le temps. Ici, c'est dans les parcs, près des grands arbres, que je réussis le mieux à ralentir. Ensuite, je retourne dans le monde et la vitesse reprend autour de moi, mais j'en suis moins affectée.

Il fait chaud et il n'y a pas souvent de brises ici! Je me réfugie au pied des arbres géants et je profite de leur ombre. J'ai exploré chaque coin de verdure de mon quartier. J'aime les arbres, ils semblent tellement forts... J'ai l'impression qu'en les fréquentant, je deviens plus forte moi aussi.

J'ai rencontré quelqu'un de différent parmi les nombreux amis que Mireille me présente. Il ne parle pas beaucoup. C'est quelque chose de rare en ville! Je le trouve reposant. J'aime quand il est là. Nous allons parfois au cinéma ensemble et nous revenons sans rien dire, chacun dans nos pensées. Nous marchons dans les parcs en prenant notre temps. Comme la chaleur de la journée est moins grande, c'est au retour, après le cinéma, le moment le plus agréable pour être dehors. Je lui ai même montré mon arbre favori, un orme, coincé dans un petit parc entre des édifices. J'aime beaucoup ce parc, le soleil ne le touche que très haut, dans le feuillage de l'orme. J'aime m'étendre sur un banc, seule, les yeux dans la lumière filtrée par les feuilles. Ce parc est toujours désert à cause de l'ombre permanente qui y règne. Au sol, il y a des fougères. C'est si beau, maman, les fougères... et ça sent si bon. Une odeur fraîche qui me fait rêver... je m'endors même parfois sur mon banc!

En fin de semaine dernière, nous sommes allés passer une journée dans les Cantons de l'est, avec Mireille et son ami Thomas. Yvon, il s'appelle Yvon, nous a amenés au chalet de ses parents, sur le bord d'un petit lac. Je n'avais jamais rien vu d'aussi beau. Le calme du lac au matin m'a chamboulé le cœur. Et que dire des montagnes! Mes amis ont dû me trouver étrange... je n'arrivais pas à suivre les conversations, j'étais trop subjuguée. Je regardais les jeux de la lumière sur le lac sans pouvoir en détacher les yeux. Yvon me comprenait, j'en suis sûre! Il est ravi que j'aime l'endroit, lui, il voudrait y passer tout son temps libre. J'ai promis d'y revenir chaque fois que je le pourrais.

Et puis, plonger dans l'eau du lac... c'est une expérience si nouvelle pour moi. Ça n'a rien à voir avec la mer. Quand j'en sors, je me sens pure et pleine d'énergie. Comme si l'eau du lac emportait toute la fatigue du monde. Et dès le premier plongeon, la chaleur disparaît. Au sortir de l'eau, je me sentais presque belle.

Je suis arrivée un peu en retard au travail ce jour-là. Malheureusement, la patronne était présente! Je dois faire attention, je n'ai pas envie de perdre mon emploi. Mais je ne regrette pas, toute la semaine qui a suivi, j'ai revu la journée au lac.

Ce soir, je vais au théâtre pour la première fois. Mireille va arriver bientôt. Je dois dire qu'actuellement, toute ma vie semble remplie de premières fois!

Je t'embrasse, tendrement,

Julie, xxx

Montréal, 15 août.

La vie est bonne pour moi, maman. Le théâtre, c'est encore mieux que le cinéma. J'ai l'impression de vivre une deuxième vie où tout est différent! En arrivant, j'avais honte de mon ignorance. Maintenant, je réalise au contraire que j'ai de la chance d'avoir devant moi un univers neuf à découvrir. Au début, je ne parlais pas beaucoup, j'écoutais, j'apprenais. Depuis un certain temps, j'ose poser des questions. Je réalise que les gens aiment beaucoup être écoutés et parler de ce qu'ils

aiment. J'apprends tous les jours. J'apprends de chaque nou-
velle rencontre.

Avec mes amis, nous voulons prendre des cours de théâtre.
C'est étrange d'écrire cela, « mes amis » ! Tu vois comme les
choses sont différentes ! Je lis moins qu'avant. Il se passe trop
de choses autour de moi, je veux y participer !

Mireille se cherche un autre travail. Et je lui souhaite de
réussir, mais cela me rend triste de penser qu'elle va partir.
Elle aimerait travailler dans un restaurant chic où les gens
donnent de bons pourboires. Moi, je me suis beaucoup atta-
chée au Café, aux autres employés et aux clients réguliers. Le
Café sans Mireille va me paraître étrange. Présentement, je la
vois chaque jour, j'espère que nous allons demeurer amies !

Dans la pièce de théâtre que j'ai vue la semaine dernière,
la mère de famille m'a fait penser à toi. Sur le moment, j'ai
ressenti une grande tristesse d'être loin de la maison. De ne
pouvoir te parler directement, de ne pouvoir te sentir tout près.
J'éprouvais de la peine pour vous à la maison et je me sentais
coupable. L'ennui et la peine que je cause sont bien pires pour
vous là-bas, je sais. Moi, ici, il se passe tant de choses !

Je me suis assise au pied de mon arbre, mon orme, et je me
suis sentie un peu mieux. Il m'aide, cet arbre. Ici, en ville, il
prend un peu la place de la mer.

Je t'aime fort, maman.

Julie, xxx

Je suis resté longtemps assis. Perdu dans les images de
la ville. À réécouter les lettres. Content de voir Julie plus
heureuse. Toujours pas un mot à propos de moi. À croire
qu'elle avait oublié mon existence. J'imagine que mon existence s'oublie aisément comparé aux choses de la ville...
Dans les jours qui ont suivi, j'ai réécouté les trois lettres en
file jusqu'à les connaître presque par cœur. À force, même

si elle adressait ses lettres à maman, j'avais l'impression que Julie me parlait. Juste deux semaines, et je pouvais plus me passer des lettres. Je voulais connaître l'histoire de Julie et je savais ce qu'il me restait à faire. Un *lift* pour Lavernière et l'affaire serait vite réglée !

Vers le milieu de la semaine, le vent s'est levé en me laissant amplement le temps d'aller faire mes achats sur l'autre bord. Deux jours sans sortir en pêche. Au deuxième, je suis allé faire un tour sur La Grave, en plein après-midi. La Grave grouillait de monde. Avec un vent de même, pas moyen d'aller à la plage à moins d'aimer à se faire fouetter ! Quand La Grave est bondée, j'ai un truc. Je m'installe sur un banc, accoté au ras le châssis de la cuisine du Café. Y'a rarement du monde assis là, rapport aux odeurs. Moi, j'aime l'endroit. Y'a pas seulement les odeurs qui sortent du châssis... y'a aussi la musique ! Et c'est bien rare, le Café plein, s'il y a pas quelqu'un d'assis au piano ! J'allonge les jambes de tout mon long, ça donne vraiment long, et je ferme quasiment les yeux, jusqu'à voir juste deux petites lignes. Et je fais semblant de dormir... De coutume, le truc marche bien... Mais le p'tit Joe, le *cook*, il est sorti en fumer une, et lui, il s'est pas fait avoir...

— Oh ben tiens, André, j'suis content d'te voir. J'aurais besoin de maquereaux pour demain. Si tu peux, j'prendrais tout ton voyage. En avais-tu promis ailleurs ?

— Non, non, c'é correct. Mais tout' un voyage de maqu'reaux, ça en fait ! T'é sûr de ton affaire ?

— Oué, j'suis sûr. J'vais faire une grosse batch de pâtés pis en plus, demain, j'vas sortir le barbecue pour faire rôtir le restant. Tu vois ? Ça m'en prend une trâlée. Mais, j'pense à ça, y vente pas trop pour le maquereau ?

— Ça, c'é sûr qu'y vente trop. Mais un vent d'è, ça grossit pas la mer dans la baie pis le vent va tomber avant la fin de l'après-midi, y commence déjà à faiblir, si tu r'marques.

C'é d'la pluie qui s'en vient. Une p'tite pluie fine, ça dérange pas pour la pêche.

– T'é sûr ? Comment tu fais pour être aussi sûr de ton coup ?

– J'écoute la météo, comme tout l'monde !

– Moi itou, j'écoute la météo, mais j'ai pas entendu tout ça !

– Tu dois pas écouter le bon poste.

– Oué, oué, c'é ça... Bon, j'dois r'tourner travailler. Veux-tu que je dise à une serveuse de t'apporter un café ?

– Oué, ça s'rait pas de r'fus. Merci.

– Oublie-moi pas pour demain !

Il est finalement retourné à sa cuisine et la serveuse m'a amené un café et heureusement, elle était bien trop occupée à l'intérieur pour s'intéresser à moi. J'ai retrouvé un peu de calme. Certain, j'avais raconté des histoires au p'tit Joe. J'écoute jamais la météo. En seulement, y faut pas avoir trop, trop de jarnigouane[11] pour comprendre que la pluie s'en vient quand on la sent déjà dans l'air, avec du nordet. Surtout avec un gros vent annonciateur de changement la veille ! Et comme le vent faiblissait à vue d'œil, pas de tempête en vue non plus. Mais j'avais pas envie d'y expliquer tout ça. J'avais juste envie d'écouter la musique. *Anyway*, le p'tit Joe il est né ici, mais il pense comme un gars de la ville qu'aurait jamais vécu au grand air. J'ai essayé une fois, mais il veut pas vraiment comprendre. Pis, pour prédire le temps, faut surtout savoir regarder ! J'ai bu mon café en retournant à mes jongleries. Une chance, la musique jouait encore !

Je me suis fait avoir à mon propre jeu... J'ai fait un somme. Au moment où je me suis réveillé, la musique était arrêtée, des nuages couvraient le ciel et le monde avait déserté

---

11. Jarnigouane : faire preuve de jugement ou d'intelligence, de discernement.

La Grave. À la Baie, j'ai pris par le bord de l'eau, une rallonge, mais de même, j'évite la grande route et j'aboutis directement derrière ma maison. Je me suis couché quasiment en arrivant. Un temps couvert de même, avec une petite pluie fine par-dessus le marché, c'est propice à dormir. C'est toujours spécial, l'arrivée sur La Grave avec mon chargement de maquereaux. Les touristes me regardent aller, je vois bien qu'ils sont tentés d'approcher. Ils me regardent l'allure et ils osent pas ! Ce qu'y faut surtout pas, c'est l'arrivée d'un gars de la place qui m'accoste... Ça devient comme un signal et La Grave au grand complet vient voir le contenu de mes chaudières[12] ! À matin, tout s'est bien passé. Il y avait pas grand monde rapport à la pluie et j'ai déchargé vite sans me faire remarquer. Faut dire, j'avais encore moins envie que de coutume de répondre aux questions... Depuis quatre heures du matin, j'étais sous la pluie. J'avais envie de finir au plus sacrant pour m'en retourner chez nous au sec. Surtout, j'étais pas rendu... Après avoir déchargé, il me fallait retourner en doré jusqu'en bas du cap et ensuite, terminer à pied !

Le p'tit Joe me disait de rester un brin pour me sécher et boire tranquillement un café mais j'ai mieux aimé repartir tout de suite. Une fois séché, c'est trop dur de retourner à la pluie ! Juste comme je m'en allais sortir, Pierre à Charles m'a arrêté.

– André ! J'vais te donner un *lift*, j'vais aller t'attendre en haut du cap.

– Hein ? Non, non, ça a pas d'allure, j'vais tout' salir.

– Y'a pas de trouble, j'ai le truck de mon frère... y'en a vu d'autres !

---

12. Chaudières est employé ici pour désigner un seau que l'on prononce « sieau » en madelinot.

– T'es sûr ? Bon, ben, prends ton temps, je s'rai pas là avant un bout'.

– Tracasse-toi pas, j'sais comment ça prend de temps pour se rendre d'ici au cap en doré !

On a fait comme il disait et même si je le laissais pas trop voir, j'étais content en pas pour rire d'avoir un *lift*. Rendu chez nous, Pierre à Charles a pas voulu entrer. Il devait rapporter le truck à son frère Arsène au quai de Cap aux Meules.

Le dimanche, il faisait un temps de canards, et j'étais fin prêt pour les lettres. En voyant la Jeune, je lui ai tendu une machine à enregistrer toute neuve, des cassettes, des batteries en masse et le paquet de lettres au grand complet. Elle m'a souri, elle comprend vite, la Jeune ! Et elle a dit : « C'est quoi ton nom de famille ? J'peux pas adresser mes enveloppes chez André à Arsène ! Pis y va me falloir aussi le numéro de ta boîte aux lettres ».

Le nom de famille, ça allait, mais pour la boîte aux lettres, j'avais pas la moindre idée. Des lettres, j'en reçois pas. Tous mes *bills,* les taxes, l'Hydro... ça arrive chez Jean-Marc à Philiase, la maison la plus proche de chez nous... Ça a toujours été de même. Françoise me dit le montant à donner et j'y fais confiance, c'est pas le genre à me jouer des tours. Selon la Jeune, j'allais devoir me rendre au bureau de poste de temps en temps et vérifier s'ils avaient reçu une enveloppe adressée à mon nom. J'ai rien dit, mais pour sûr, la Jeune connaît pas comment les choses se passent par ici ! Une enveloppe qui m'est adressée, ça va se savoir. J'aurai pas à me rendre au bureau de poste... Josée, la postière, elle va l'apporter direct chez nous ! Heureusement, comme je sais pas lire, la Jeune écrira rien. La Josée pourra fouiner tant qu'elle veut, elle apprendra rien ! On a décidé de faire comme tel, et la Jeune a commencé à lire. Comme il faisait mauvais, elle a pris le temps de me lire trois lettres. J'ai même pas fait semblant d'écouter. C'était plaisant de la regarder lire, toute concentrée. Un beau brin de fille. Il m'arrive pas souvent de pouvoir regarder le monde de proche, sans les rendre mal à l'aise. La Jeune m'a dit que ça prendrait peut-être un petit bout avant de recevoir ma première cassette. Elle allait être pas mal occupée en reprenant son travail. Après, elle essaierait de m'envoyer une enveloppe par mois. Elle est partie en me saluant et moi, j'ai rien trouvé à dire, même pas merci... Des fois, pour dire, je suis vraiment un imbécile !

J'ai laissé passer la semaine avant d'écouter mes lettres. Le temps était resté à la pluie et moi, j'avais envie d'écouter mes lettres au-dehors. Et l'eau, c'est pas bon pour ma petite machine. Je voulais ralentir aussi.

S'il pleut et qu'il fait pas trop froid, j'aime à me tenir au-dehors. C'est souvent par ces températures-là que je prends mes plus longues marches. Par-dessus le marché, il y a eu deux soirs de musique sur La Grave et pour sûr, j'étais là. Pas trop dur d'attendre dans des conditions de même !

Quand dimanche est arrivé, je me suis installé à ma place habituelle et j'ai écouté la première lettre. La quatrième en réalité. Après je me suis dit, ce sera une lettre par semaine... pour faire durer.

Montréal, 27 août.

Bonjour, maman. Avec Mireille et Yvon, j'ai commencé des cours de théâtre. J'aime beaucoup cela, même si le premier soir a été difficile pour mon orgueil ! Moi qui croyais bien parler maintenant ! J'ai été ridiculisée par notre professeur devant toute la classe ! Elle m'a dit de prendre des cours de diction, que mon français était incompréhensible. Je suis bien d'accord de suivre des cours mais sa façon de me le « suggérer » n'était pas des plus agréable ! Les étudiants plus anciens m'ont dit de ne pas m'en faire. Ils sont vraiment gentils, notre professeur est brusque et sans manières mais selon eux, elle est sûrement une des meilleures à Montréal. En classe, les choses ont toujours été faciles pour moi, pas évident de me retrouver au dernier rang... Mais première de classe d'un coin perdu, ça ne veux plus dire grand-chose ici ! J'ai un réel défi à relever et je vais m'y mettre sérieusement. Depuis que je suis à Montréal, je vis au jour le jour et j'ai maintenant envie d'un projet à moi. Peut-être que ce sera le théâtre ? J'ai déjà trouvé un professeur de diction et je commence après-demain. J'aurai donc deux cours par semaine. Je vais devoir limiter mes dépenses, mais je vais avoir moins de temps pour sortir de toute façon. Il me faut pratiquer les autres soirs ce que j'apprends durant mes cours.

Je suis retournée une autre fois au chalet des parents d'Yvon avec les amis. Yvon voulait que l'on y aille juste tous les deux, mais j'ai refusé. Ça me gêne terriblement d'être seule avec lui. Je veux dire, ce n'est pas la même chose d'être seule avec lui dans les rues de Montréal qu'au chalet. Il y a des fois où je me trouve tellement ignorante... Notre amitié est si facile... j'aimerais qu'elle dure toujours même si, au fond de moi, je vois bien que ce que j'éprouve pour Yvon, c'est autre chose ! Pour tout de suite, je suis trop peureuse pour aller plus loin.

Au chalet, nous avons quand même passé des moments seul à seul quand Yvon m'a amenée en canot sur la rivière. Je suis fascinée par tant de beauté... Nous avons surpris un grand héron qui s'est envolé juste devant nous, lentement, pesamment. Nous nous sommes baignés dans un coin tranquille. Longtemps à se faire masser par les remous de petites cascades. Des libellules de toutes sortes venaient boire le sel de notre peau. Les arbres penchés, devenus des parasols géants, nous gardaient au frais sous leurs ombres. Je me sentais vraiment au paradis dans cette nature superbe. J'aurais pu ne plus bouger de là ! Nous sommes revenus rejoindre les autres, et j'étais à la fois déçue et soulagée de partir.

Je retourne au théâtre ce soir. C'est notre professeur, madame Larose, qui m'a donné des billets. Comme tu vois, elle a aussi ses bons côtés !

À bientôt, je t'embrasse,

Julie, xxx

J'en avais assez pour occuper mes rêveries pendant la semaine. Même si le théâtre, j'y connais pas grand-chose. Les vues, c'est un peu mieux, j'en vois des bouts de temps en temps à la télévision. Mais le théâtre... à part les soirées des *Beaux Dimanches* chez Jean-Marc à Philiase ! Je comprends pas la façon dont les gens parlent, j'arrive pas à suivre les histoires. Pareil, j'aime entendre Julie en parler.

Après la pluie, le temps s'est mis au beau. Comme j'avais pas travaillé gros dernièrement, je suis sorti en pêche tous les jours. Même si mes besoins sont pas grands, je dois quand même gagner de l'argent. Surtout avec tout ce que j'ai flôbé[13] dans les machines à enregistrer...

Je suis étonné de retrouver ma vie quasiment la même qu'avant. Pourtant dans ma tête, les choses se passent plus pareil. Souvent, l'image de Julie me vient devant les yeux et me fait perdre le fil de mes occupations. J'ai plus besoin de réécouter autant les premières lettres asteure. Ma tête devait être bien vide avant, les lettres ont vite trouvé leur place. Après seulement une écoute ou deux, je pourrais pratiquement répéter chaque lettre mot par mot. Comme si j'étais à côté de Julie. Je comprends ses dires tout de suite même si je sais rien des choses dont elle parle. J'ai même l'impression de connaître ses amis. J'ai mis la figure de certains touristes pour imaginer Yvon, Mireille et les autres. Une

---

13. *Flôbé* : dépensé.

chose me tracasse. C'est d'essayer de comprendre pourquoi elle a pas donné son adresse à maman ? Pourquoi elle voulait autant oublier sa vie d'avant ? Y devait s'être passé des affaires pas bien belles pour en garder mauvaise souvenance de même. Certain, papa, on pouvait vouloir l'oublier des fois, je peux comprendre. Mais il était pas si pire, me semble, pas au point de vouloir oublier tout le reste avec lui. Il doit y avoir quelque chose d'autre que je comprends pas... C'est pas nouveau, faut dire ! Mais ça me tracasse, j'arrête pas d'y jongler.

Bien étrange comment les choses arrivent. Depuis des années, j'avais quasiment oublié l'existence de ma grande sœur et là, je la trimballe avec moi partout où je vais. Des fois, je trouve bien plaisant qu'elle soit à mes côtés et d'autres, j'aimerais retrouver mon calme d'avant. En tous les cas, je suis rendu trop embarqué dans son histoire pour quitter le bateau ! Et j'ai hâte à dimanche prochain pour en apprendre plus long.

| Une jeune fille triste

Le samedi, j'ai eu toute la misère du monde à revenir de pêche ! Je savais qu'il y aurait de gros vents, mais je me suis fait prendre, je m'attendais pas à les voir arriver si tôt. J'ai dû me grouiller de ranger mes agrès pour me rendre chez nous vérifier que tout était bien attaché au-dehors. C'était des vents qu'entendaient pas à rire. Les vents allaient continuer d'enfler et en plus, dans pas long, la pluie s'en mêlerait elle itou ! Une fois le tour de la maison arrangé, je me suis rendu vers le bas du cap pour m'occuper de mon autre embarcation, celle que je garde sur le bord de la baie d'en-dedans. Je la garde quasiment juste pour les fois où je livre à La Grave. J'étais en maudit de m'être fait prendre, je devais marcher vite dans les bourrasques et j'aime pas à devoir me dépêcher de même.

Je me suis rendu direct à mon doré, lui mettre sa bâche que je garde cachée dans les herbages justement pour ces occasions-là. Ma bâche était pas à sa place, elle était jetée en travers du doré et il y avait un sac de couchage au fond de mon bateau. Au début, ça m'a fâché. Déjà que j'étais pas de bonne humeur... Tout se serait retrouvé à la mer si j'étais pas passé. J'aime pas la négligence et les gens qui empruntent les affaires des autres sans en prendre soin. Mais après un bout, après m'être assuré que c'était pas un ivrogne qu'avait couché là, que y'avait ni vomi ni bouteilles vides autour de mon embarcation, j'me suis défâché. J'ai même roulé le sac de couchage au fond avant d'installer la bâche et de la fixer solidement aux attaches. La personne qu'avait dormi là était peut-être mal prise et ça lui avait rendu un fier service d'utiliser mon doré comme lit. Et moi, ça m'enlevait rien ! Je me suis dis que ma cachette pour ma bâche était pas bien bonne mais d'un autre côté, si elle avait pu être utile...

Une fois calmé, j'ai pris la direction du Havre-aux-Basques. Vers La Grave, la mer était trop haute pour permettre le passage en dessous du Cap à Arsène. J'en avais moins long à marcher avant d'atteindre le sable, mais comme y venait juste de commencer à mouiller, j'avais des chances de pouvoir continuer ma marche une petite escousse sans recevoir trop de grains dans les yeux. Presque rendu au début de la plage, j'ai aperçu une toute jeune fille qui venait dans ma direction. Aucun doute à la voir, son sac sur le dos... c'était elle qu'avait dormi dans mon doré. Je m'en voulais de m'être fâché tout à l'heure et je m'inquiétais rapport à mes nœuds. Je voyais pas comment elle allait arriver à les défaire pour se glisser à l'abri durant la nuit ! Et la nuit prochaine allait être quelque chose ! En me croisant, elle regardait par terre. Mais moi, j'ai regardé son visage...

J'ai pas marché longtemps. Au retour, la montée pour reprendre la route se trouve tout près de mon doré, j'y suis retourné. De loin, j'avais vu la fille se diriger vers le bas du Cap à Arsène. Avec une mer déchaînée de même, elle en sortirait pas au sec pour sûr ! Je l'imaginais se séchant à une des boutiques de La Grave et j'espérais qu'elle avait assez d'argent pour se payer un repas chaud. J'ai fait le tour du doré et j'ai déniché son sac qu'elle avait caché, bien coincé sous le bateau et à l'abri de la pluie, du côté opposé au vent. J'ai desserré tous les nœuds de ce côté-là et je suis remonté chez moi.

Arrivé à la maison, j'étais mouillé bord en bord. Je me suis fait une petite attisée, j'ai changé de vêtements et là, collé au ras le poêle, en attendant mon café, je jonglais à la fille... J'aurais aimé l'aider d'une manière ou d'une autre mais j'avais pas idée comment m'y prendre. Le café était pas encore prêt que Pierre à Charles arrivait à la porte.

Je lui ai servi du café en lui racontant pour la fille. Lui aussi, il aurait aimé à aider, mais il avait pas plus d'idées que moi pour le faire. Pis tout d'un coup, quasiment les deux en même temps, on a pensé à sa sœur Rita.

Rita, elle a une petite maison sur le haut des caps. Une petite maison qu'elle s'est construite toute seule. Pierre l'a bien aidée, mais seulement pour les affaires demandant à être deux absolument. Rita, c'est une vraie sauvage. Les gens de par ici, ils disent que c'est un garçon manqué mais je suis pas d'accord avec eux. Les hommes sont juste jaloux parce qu'elle est meilleure que plusieurs dans la construction. Et les femmes, j'ai l'impression, elles ont de la misère à comprendre une des leurs qui soit si solitaire et si peu parlante. Je la rencontre souvent à marcher sur la grève, une bien belle femme, avec ses grands cheveux qui flottent au vent. Non, encore une fois, d'après moi, c'est juste sa différence qui amène le monde à la juger et à en parler en mal. C'est pas nouveau !

Toujours est-il qu'on a pensé à Rita. On venait juste de dire que la fille aurait sûrement peur d'un homme allant lui offrir le gîte, tandis que Rita...

On est sorti, après la dernière goutte de café. J'avais pas envie de quitter la chaleur du poêle, mais Pierre à Charles a insisté pour que je l'accompagne chez sa sœur. C'était un fier service à rendre à cette jeune fille-là... et le poêle m'attendrait au retour !

J'entrais chez Rita pour la première fois. Je sais pas pourquoi Pierre tenait autant à ce que je l'accompagne. C'est lui qui a parlé tout le long et Rita semblait même pas s'apercevoir que j'y étais. Ça faisait mon affaire, invisible je pouvais regarder la maison à mon aise. Elle nous a pas invités à nous asseoir ni rien. Mais le plus important, elle a dit qu'elle s'occuperait de la fille. Juste comme on sortait, elle m'a demandé si je pourrais lui apporter du maquereau la prochaine fois que je sortirais en pêche. J'étais tellement surpris, j'ai seulement réussi à faire oui de la tête sans ouvrir la bouche.

Pierre à Charles est retourné chez lui, et j'ai marché tout seul jusqu'à chez nous. Le vent et la pluie avaient redoublé de violence et j'étais bien content finalement d'être au-dehors pour le voir. Pareil, retrouver le sec et la chaleur a été plaisant. Des fois la pluie venait claquer sur les vitres, c'était pas un temps pour traîner dehors et j'étais content pour la fille.

La nuit a été mouvementée. Même si ma chambre est pas exposée aux grands vents, le bruit de la pluie dans les châssis du haut et dans ceux du bas, surtout dans le châssis qui donne au large, ça suffisait à m'empêcher de dormir. J'ai somnolé toute la matinée en rêvassant et en chauffant le poêle en douceur, juste pour couper l'humidité, pas pour chauffer vraiment, le temps était encore chaud. Une fois bien installé, j'ai fait jouer ma cassette et j'ai écouté une nouvelle lettre.

Bonjour, maman. J'aime de plus en plus mes cours de théâtre. L'ambiance avec madame Larose s'est améliorée, je crois même qu'elle m'a prise en affection. Elle me chicane plus souvent et elle est toujours sur mon dos, mais tout cela n'est pas dénué d'humour. Selon Mireille, ça démontre son intérêt envers moi ! Alors je travaille énormément, et les quelques fois où elle semble contente me procurent une grande joie. Presque à chaque semaine, je vais au théâtre. Je vais voir des pièces recommandées par madame Larose, la plupart du temps avec des billets gratuits ! C'est important de voir beaucoup de théâtre, nous en discutons en classe ensuite. C'est une façon d'apprendre très agréable. Avec mon professeur de diction, le travail est exigeant, c'est un peu décourageant même, tant d'énergie et bien peu de résultats jusqu'ici.

Mireille a quitté le Café, et j'en suis attristée. Elle s'est trouvée un emploi à l'autre bout de la ville et son horaire de travail est différent du mien. Elle va abandonner aussi les cours de théâtre. Et elle se cherche un autre logement. Pour l'instant, nous nous voyons encore, mais dès qu'elle aura déménagé, ce sera beaucoup plus difficile...

Yvon m'évite, dernièrement. Peut-être à cause de toutes les fois où j'ai refusé de me retrouver seule avec lui ? Je crois qu'il se sent blessé. Il ne comprend pas mon attitude, et c'est bien normal, je n'arrive pas à me comprendre non plus ! Je lui ai proposé d'aller au lac en fin de semaine prochaine. J'ai très peur, mais en continuant de jouer au chat et à la souris, je vais perdre son amitié en plus de son amour. Yvon est amoureux de moi, et moi, je ne suis pas si certaine de mes sentiments. Je ne suis sûre de rien ! Je vois bien que ma relation avec Yvon est différente d'avec mes autres amis, mais je me demande si ça vient de son amour à lui seulement ? Je me demande si l'amour est toujours aussi compliqué ?

Mireille trouve que je ne suis pas assez légère. À son avis, je me pose trop de questions. Je sais qu'elle a raison, mais comment fait-on pour atteindre la légèreté ? Moi, tellement de choses me font peur... J'ai besoin de tout mon courage parfois pour ne pas rester cachée au fond de mon appartement.

Hier, au restaurant, je servais à une table de gens des Îles. Ils n'ont pas remarqué mon accent. Ils m'apparaissaient comme des étrangers et je me sentais différente d'eux. Pourtant, j'étais triste après leur départ. Malgré mes efforts, j'ai encore la nostalgie des Îles. Heureusement, il y a les arbres... La chaleur a beaucoup diminué ces derniers temps et j'en profite pour faire de longues marches. Les feuilles de mon orme ont même commencé à jaunir. Les ormes n'ont pas de branches basses et le tronc monte très haut avant que les premières feuilles n'apparaissent. Présentement, avec ses feuilles devenus jaunes, mon orme a une tête de soleil ! Je passe des heures couchée en dessous, hypnotisée par les reflets et son doux balancement.

Madame Larose nous a parlé des ateliers du frère Jérôme qui ont lieu dans les chaufferies du Collège Notre-Dame. Elle nous encourage à y participer pour laisser ressortir notre côté créatif. Elle prétend que c'est bénéfique pour tout le monde. Il n'y a rien là de religieux, même si les ateliers sont donnés par un frère. Je dois dire que ça ne m'intéresse pas tellement mais je vais essayer de convaincre Mireille de venir avec moi. Elle dessine beaucoup et cela nous ferait une activité à faire ensemble !

Je t'embrasse,

Julie, xxx

C'est drôle, les lettres vont avec la saison ! Ici, on est fin août et le temps doit ressembler à septembre pour Montréal.

Après avoir écouté ma lettre, je me suis cuisiné une soupe de poisson et c'était bien d'adon... Pierre à Charles est venu faire son tour vers l'heure du souper, et j'ai pu le garder à manger.

– Tabarouette, André, j'savais pas que t'étais bon *cook* de même !

– Ça besoin d'être bon ! À part les galettes à la morue salée, c'é le seul plat que je sais faire. R'marque, c'é pas bien compliqué. Y suffit d'avoir du poisson frais pis moi, c'é pas c'qui m'manque !

– C'é bon en tout cas, c'é la meilleure soupe de poisson que j'ai jamais mangée. Le Café du Havre est loin de t'accoter !

Après s'être resservi deux fois, il restait encore de la soupe. J'ai dit à Pierre de l'apporter à sa sœur Rita et à sa visite. Cette fois-ci, j'ai tenu bon, et il est passé tout seul en retournant chez lui.

Dans le courant de la soirée, le vent a tombé et la nuit s'annonçait plus reposante que la veille. Le temps est resté à la pluie. Je pouvais pas sortir en pêche, la mer était encore trop grosse, mais j'étais pas empêché de faire le reste de mon ouvrage. C'était une pluie chaude d'été encore. Comme si les Îles pleuraient le départ des touristes et la période ennuyante qui s'en venait...

Il y en a, ils se disent bien contents de retrouver le calme sur les Îles, c'est ce qu'ils prétendent en tout cas ! Pas tout le monde, pour sûr, ceux du genre à Donald à Jérôme, disons. Le calme pour lui, ça veut surtout dire arrêter de travailler et passer ses soirées à jouer aux cartes, à l'argent et en buvant de la bière. Le calme dont il parle, lui, a rien à voir avec le silence et la sainte paix. C'est pas bien chrétien de ma part, mais mautadit que je l'aime pas, Donald à Jérôme ! Moi, comme la plupart des autres je pense bien, je m'attriste de voir La Grave qui va fermer et la musique s'arrêter pour un grand bout. C'est certain, moins il y a de monde sur les Îles, plus ça te porte à jongler... pis au calme finalement. Mais mautadit, les soirées sont longues, des fois ! Bien d'adon cet hiver, je vais avoir mes cassettes pour me tenir compagnie.

Le lundi, je me suis levé à la même heure que de coutume et je suis parti marcher. Je me suis dirigé vers le bas du cap, curieux d'avoir des nouvelles de la fille. J'ai pas eu à fouiner longtemps... Les deux femmes étaient assises dehors côte à côte à regarder la mer. À l'abri sous la véranda et emmitouflées dans de grosses couvertures. J'ai bien aimé voir cette image-là ; les deux bien tranquilles, tournées vers le grand large, sans parler. Et les morceaux de couleurs de leurs courtes-pointes sur le gris des bardeaux de cèdre. L'herbe verte à leurs pieds, le ciel bleu pâle et à l'horizon, le bleu foncé, quasiment vert, de la mer. Une bien belle image... Quelque chose d'apaisant pour les yeux et de vivant en même temps. Je serais resté là un grand bout à les regarder si j'avais pas craint qu'elles me voient. J'ai marché une couple d'heures et en remontant, les femmes étaient toujours assises à la même place. Rita m'a aperçu et m'a fait signe d'approcher. J'étais gêné en tabarouette, mais je pouvais pas partir à courir ni faire comme si je l'avais pas vue. La sœur de Pierre à Charles... j'en aurais entendu parler longtemps. Je me suis approché. Du moment où j'ai été à portée de voix, Rita m'a dit qu'elle allait chercher mon chaudron et elle est entrée dans sa maison. Si c'est possible, la fille semblait encore plus gênée que je l'étais. Elle regardait vers la mer, mais en vrai, elle regardait plus rien. J'ai été surpris quand elle s'est mise à me parler.

– Est-ce que c'é à toi, la barque juste en bas ?

J'ai fais signe que oui en hochant la tête.

– Est-ce que c'é toi qu'a demandé à Rita de m'aider ?

Là, j'ai dis non avec ma tête, mais elle m'a regardé d'une drôle de façon. Ses yeux disant qu'elle me croyait pas. Alors, même si j'avais aucune envie de parler, j'ai dû m'expliquer.

– J'ai parlé de toi à son frère et on est venus voir Rita ensemble. On lui a rien demandé. J'ai juste fait d'y dire c'que j'avais vu.

Comme je finissais ma phrase, Rita est sortie de la maison et elle m'a tendu mon chaudron en me remerciant pour la soupe. Pis là, la fille a relevé la tête et elle m'a fixé dans les yeux en disant :

– Merci beaucoup, elle était vraiment délicieuse.

J'ai réussi malgré la surprise et la gêne à dire que ça m'avait fait plaisir. Rita m'a rappelé d'apporter du maquereau après ma prochaine pêche et j'ai tourné le dos au plus vite. Je me suis dépêché de m'éloigner. Être le point de mire de deux belles femmes, il y en a sûrement pour trouver la chose bien plaisante, mais pas moi. Je l'ai déjà dit, moi, j'aime à être invisible. Et là, j'étais vraiment trop visible à mon goût. Fier de mon coup, par exemple... La fille était bien, avec Rita. Et elle semblait pas le genre révoltée de tout, qui envoie promener le monde, surtout ceux qui veulent aider. Non, elle, elle était reconnaissante et dans ce temps-là, ça rend l'aide plus facile à donner. Triste, par exemple, pis plus vieille que son âge. Des choses qui arrivent, des fois. Des coups durs de la vie qui font vieillir plus vite, mais les gens en ressortent meilleurs aussi... la plupart du temps. Des fois, je pense comment c'est dommage qu'il faille un grand malheur pour apporter un bon changement mais d'autres fois itou, je regarde ça autrement. Je me dis qu'au moins un malheur peut apporter du bien. Je trouve la deuxième façon plus belle à penser. Pour sûr, ça dépend de mon humeur... Cette jeune-là, elle a bien beau être triste, elle semble paisible, le sourire va lui revenir, ça fait pas de doute !

Une fois en sûreté, j'ai marché moins vite et je me suis mis à jongler aux lettres de Julie. J'aime entendre Julie me parler des arbres. J'en ai jamais vus, moi, des arbres comme elle décrit. Pour sûr, j'en ai vus dans les films et j'en ai entendu parler aussi. Seulement, en vrai, ça doit pas être pareil. D'entendre Julie en parler me rend curieux. Et je sais pas pourquoi, quand Julie parle des arbres, je me sens encore plus près d'elle.

Les arbres de Julie, ils me font penser à Edmond... et aux arbres de l'île Brion. Jeune, il y allait avec son père. Selon lui, les arbres étaient tellement gros qu'un homme réussissait difficilement à en faire le tour en tendant les deux bras. Au début, j'étais certain qu'y me racontait des histoires, mais le vieux Willie aussi, il prétendait la même chose. C'était de leur faute, selon lui, si maintenant il y a juste des chicots sur l'île. Les arbres, ils les avaient coupés, pas tout seuls pour sûr et pas pour leur profit, mais pour la cuisson du homard ! Au moment où cette pêche-là avait commencé à être populaire et que le homard avait arrêté d'être juste un engrais pour les jardins, dans les usines, pour le faire cuire, il fallait du bois. Et les arbres de l'île Brion ont été sacrifiés au profit du homard !

Les lettres de Julie me rendent de plus en plus jongleur. Je sais pas si c'est une bonne chose ou non ? Pour sûr, je suis des fois bien loin de ce que je suis en train de faire, mais d'un autre côté, du changement dans ce qui se passe d'habitude dans ma tête, c'est peut-être pas si mal non plus.

Le jeudi, la mer s'était assez calmée pour que je puisse sortir et mes premiers maquereaux ont été pour Rita. La fille était allée marcher et Rita m'a dit qu'elle allait mieux. Elle avait téléphoné à sa famille. Depuis un mois qu'ils étaient sans nouvelles et sans aucune idée où elle se trouvait. Là, elle se sentait prête à s'en retourner. Ses parents allaient lui envoyer l'argent pour son billet et elle prendrait l'avion. Rita était pas pressée de la voir partir, mais elle était contente pour la fille, moi itou !

Je sais pas trop pourquoi mais dimanche, avant d'écouter ma lettre, j'ai assisté à la messe. Peut-être pour remercier pour la fille... Peut-être aussi que j'avais des remords rapport à mes mauvaises pensées à l'encontre de Donald à Jérôme... Il faisait beau en sacrément dehors. L'église était vide et la musique plate en pas pour rire ! Pas besoin d'aller en confesse, pas besoin de prêtre, je m'étais donné ma pénitence tout seul !

Montréal, 2 octobre.

Je suis amoureuse, maman ! Je ne pensais pas que c'était possible d'être autant heureuse. Et je ne pensais jamais qu'un jour, un homme me trouverait belle au point de me le répéter à tout moment ! L'amour rend aveugle... mais je dois dire, j'adore cet aveuglement ! Et moi, l'amour me rend légère... Je ne marche plus, je danse, et je ris tout le temps !

Comme Mireille, Yvon a abandonné les cours de théâtre. Mais il m'aide à apprendre mes textes en me donnant la réplique et il me dit tout le temps que je suis bonne. Il fait souvent des heures supplémentaires, il veut économiser de l'argent pour que nous prenions un logement plus grand tous les deux. J'aime bien mon petit appartement et je ne veux pas le quitter. J'essaie plutôt de le convaincre de venir y habiter avec moi. J'ai confiance de réussir... tu sais, quand j'ai quelque chose en tête !

Dans les arbres, les couleurs sont de plus en plus présentes. Mon orme est en avance sur les autres, il porte maintenant une belle chevelure dorée. C'est peut-être d'avoir les pieds dans l'ombre et la tête au soleil ? À vrai dire, je pense que les ormes changent de couleur plus tôt que les autres arbres. J'ai découvert une rue avec des ormes géants de chaque côté et eux aussi sont très colorés. Comme c'est loin de chez moi, je ne m'y rends pas souvent. Quand j'y vais, j'ai l'impression de faire un pèlerinage, je m'y remplis les yeux et l'âme de couleurs. Les arbres sont devenus ma religion !

Mon plan a fonctionné. Mireille adore les ateliers du frère Jérôme et elle y va souvent. Moi, l'ambiance de l'endroit me plaît bien mais surtout, j'aime y aller pour être avec elle.

Avec les gens de mon cours de théâtre, nous faisons souvent la fête jusqu'à tard dans la nuit. Les lendemains matins, sortir du lit est assez difficile ! Je ne suis pas toujours en pleine forme pour le travail, mais l'amour donne des ailes ! Et tu sais, je pense que la fatigue me rend moins sérieuse et plus rieuse, et autant les clients que mes collègues apprécient ma nouvelle légèreté.

Je t'écris bientôt, avec toute ma tendresse,

Julie, xxx

Ça me rend heureux de la savoir en amour. Mes rêveries de l'imaginer avec des enfants sont peut-être pas si folles ! Heureux aussi en pensant à maman, elle devait être si contente pour sa fille. Et moi j'y crois, le monde en amour, ils deviennent plus beaux. Je l'avais déjà remarqué avec Louisette à Jérôme, l'été où elle a rencontré son Jonathan. Certain qu'elle était devenue plus belle ! Elle s'arrangeait mieux, pour sûr, mais même à sa pause à l'usine, avec le filet encore sur la tête et l'odeur du poisson collée à elle, son air était différent. Une sorte de sourire par en-dedans. Et j'étais pas le seul à le remarquer, j'entendais les hommes passer leurs commentaires... Pourtant, ils la connaissaient depuis toute petite fille et avant, ils l'avaient jamais trouvé belle. Ces affaires-là en plus, une fois commencées, elles reviennent plus en arrière. À l'hiver, quand elle a compris que son Jonathan s'intéressait pas vraiment à elle et que des lettres, elle en recevrait pas, elle s'est mise à dépérir. Un visage qui pleure à longueur de jours, c'est moins joli qu'un visage en amour avec le gros sourire ! Mais quand même, la Louisette, sa beauté trouvée avec l'amour, elle l'a pas perdue complètement après. Cet amour-là avait changé quelque chose. Quelque chose dont je peux pas parler, j'y connais rien. Mais je me demande bien ce que ça donnerait avec moi ?

Sur La Grave au Café, il y a eu une fête pour la fermeture de l'hiver. J'avais entendu dire qu'il y aurait de la musique et j'ai pas été déçu. Le petit Welly y était avec son violon et la gang des Painchaud au grand complet. On se serait cru en plein été tellement il y avait du monde sur La Grave. Certain, on n'entrait pas tous dans le Café. Par chance, c'était une belle soirée, les châssis étaient grands ouverts et du monde pouvait écouter d'en dehors. Moi, j'étais arrivé en avance et pour une fois, j'étais assis en-dedans, mais pour sûr, accoté sur le bord d'un châssis ! Et pour une fois itou, j'ai commandé à boire. Pas d'alcool certain, une liqueur, et j'ai même laissé un tip. La serveuse, une fille de l'extérieur, me connaissait pas et elle passait son temps à m'observer. Je me disais que depuis un bout, personne avait autant figé devant ma laideur. Mais finalement, ma laideur était pas en cause. Dès qu'elle a eu une minute, elle est venue me parler. Et c'est juste qu'elle avait vu le film et elle me prenait pour un gars d'en dehors, pour un comédien jouant un rôle. Elle s'attendait pas à me voir là avec seulement du monde de la place ! Je l'ai pas laissée dans l'ignorance longtemps...

– J'ai fait comme à l'habitude, à la différence qu'y m'ont payé pour ! J'me suis bien amusé pareil, à jouer le rôle du fou, c'était facile, j'le suis ! J'suis le fou d'la Pointe. Pis j'ai pas eu besoin de maquillage, j'suis laid de même... au naturel !

Elle est restée figée et moi, je me suis mis à rire. Elle a ri elle aussi, juste un peu, comme gênée, sûrement déçue itou, et elle est retournée servir ses autres clients. Puis, la musique a commencé.

J'imaginais Julie dans les fêtes en ville. En regardant les couples d'amoureux, je pensais à elle et à Yvon. De voir les mêmes choses, je me sentais proche d'elle. De me coucher tard aussi, une nouveauté pour moi. La fête a continué jusqu'à la nuit et je suis resté jusqu'au bout, jusqu'à la dernière note de musique. Le lendemain, j'étais magané mais content. Surtout, sans me faire voir, j'avais enregistré la soirée et j'allais pouvoir la réentendre cet hiver, dans les soirées longues et ennuyantes.

Mon premier paquet est arrivé sans que je me sois mis à l'attendre. Et comme de raison, j'ai pas eu besoin d'aller faire mon tour au bureau de poste. Un beau matin, j'ai vu ressoudre la Josée devant chez nous, toute épivardée, mon enveloppe à la main. Je lui ai pas laissé de temps, je suis vite allé au-devant.

– Merci beaucoup, Josée, t'é bien prévenante de m'apporter mon enveloppe sans que j'aille besoin de me rendre au bureau de poste.

– Tu t'attendais à recevoir une lettre ?

– Certain, c'é la plus jeune à Edmond qui m'envoie d'la musique d'en ville.

– Mautadit ! A l'é fine en pas pour rire... J'savais pas que t'aimais la musique de même. Ça semble des petites cassettes, y doit pas rentrer grand-chose là-d'sus ?

– Oh, c'é pas si pire. Bon, ben merci encore. J'veux pas te faire perdre plus de temps avec moi. J'vas aller écouter ma cassette.

Vite je lui ai tourné le dos et je suis entré dans la maison, juste le temps de la voir embarquer dans son auto. Après, j'ai pris ma machine et je suis ressorti dehors. J'étais pas mal fier de moi d'avoir eu l'idée d'y parler de musique. Je suis pas si vite de coutume ! C'était une belle journée, je me suis installé à ma place habituelle dans les herbages et j'ai écouté ma première lettre, malgré qu'on soit pas encore dimanche. J'étais trop curieux !

En premier, j'ai cru m'être trompé de cassette même si je venais juste de la sortir de l'enveloppe. Je m'attendais pas à entendre de la musique et surtout, pas cette musique-là. C'était elle, la fille qui a inventé une façon de parler avec la mer. J'en revenais pas. Ensuite, il y a eu la voix de la Jeune. Louis lui avait dit comment j'aimais écouter de la musique sur La Grave et elle avait pensé m'envoyer un morceau de la Jorane. Elle en avait mis un petit bout au début, trois lettres, et la pièce au grand complet à la fin. J'ai eu envie d'y aller tout de suite, mais je me suis retenu, j'ai plutôt choisi de me garder la musique en cadeau !

Montréal, 25 octobre.

Bonjour, maman, c'est maintenant décidé, Yvon emménage avec moi le mois prochain. Évidemment, sa mère n'est pas d'accord. Elle pense que l'on se connaît depuis trop peu de temps pour vivre ensemble et surtout, sans être mariés ! Mais il y aura peu de changements, il passe déjà beaucoup plus de temps chez moi que chez ses parents. Je suis étonnée de ne pas avoir peur ! Yvon entre dans ma vie comme si sa place avait toujours été là. Il est si doux, si calme, sa présence me fait un bien immense. Il travaille de jour et il doit se lever à six heures. Moi, j'ai un horaire très étrange, parfois je travaille très tôt le matin, parfois je travaille le soir, j'ai donc beaucoup de moments pour me retrouver seule. Mais je ne manque pas d'occupations...

Au théâtre, c'est assez incroyable, madame Larose m'a recommandée pour une audition, un tout petit rôle mais, tu ne me croiras pas, dans une pièce avec madame Pelletier ! Si j'étais choisie, imagine, je jouerais avec la grande Denise Pelletier ! Je passe toutes mes soirées à répéter et à travailler ma diction. Madame Larose trouve sûrement que je m'améliore. Selon elle, je suis prête à monter sur les planches ! Je suis heureuse de l'entendre dire et... terriblement nerveuse. Il reste trois semaines avant l'audition et, plus ça va, plus je me répète que je suis folle d'y aller. Madame Larose me rassure, le trac est tout à fait normal, c'est plutôt bon signe apparemment. Je lui fais confiance mais j'ai peur tout de même. Yvon me donne la réplique et m'encourage. Je dois être à la hauteur pour ne pas les décevoir tous les deux.

Chaque soir où je le peux, je vais maintenant attendre Yvon au parc Lafontaine à l'heure où il revient du travail. Il y a une nouvelle façon de se déplacer à Montréal : le métro. Yvon l'a pris toute la semaine. Le métro voyage sous terre et il va bien plus vite que l'autobus.

Les entrées et sorties sont plus espacées entre elles, et la sortie que prend Yvon est tout près du parc Lafontaine. Yvon trouve les stations de métro vraiment superbes. Il essaie de me convaincre d'essayer le métro, et de voir les œuvres d'art qui sont insérées dans le décor, mais de descendre sous terre ne me dit rien. C'est trop beau dehors présentement !

Nous marchons bien tranquillement en revenant à la maison. C'est agréable de regarder les couleurs tout autour de nous, elles sont maintenant toutes là, les rouges, les orangées, les jaunes... Plusieurs arbres ont même commencé à perdre leurs feuilles et il y a un beau tapis coloré par terre. Une autre nouveauté pour moi, ces couleurs partout, qui changent constamment avec la lumière, d'heure en heure et au fil des jours. Mon orme a déjà perdu toutes ses feuilles mais il demeure majestueux, c'est le roi ! Je vais le voir moins souvent, l'ombre du petit parc est trop froide en cette saison.

J'ai de la difficulté à penser à autre chose qu'à l'audition... je t'écrirai après pour te dire comment tout s'est déroulé.

Tu n'es sûrement pas très enchantée à l'idée de me voir habiter si tôt avec mon amoureux, sans être mariée, en plus. Mais je sais aussi que tu préfères connaître la vérité !

Je t'embrasse,

Julie, xxx

Sitôt la lettre finie, j'ai fait avancer la machine et j'ai écouté la pièce de musique au grand complet. Je l'ai écoutée peut-être une dizaine de fois. Sans penser à rien. Pendant un grand bout, j'étais devenu comme un petit oiseau au-dessus de la mer... et je sentais plus mon corps.

Après, j'ai repensé à la lettre de Julie. J'ai hâte de savoir comment les choses se sont passées pour elle.

Le lendemain, je suis allé voir Louis à Edmond et je lui ai demandé de remercier sa sœur de ma part pour la musique de la Jorane, quand ça adonnerait. Il était pas au courant, de toute façon la nouvelle allait se savoir vite sur la Pointe ! Il comprenait pas pourquoi j'allais pas me gréer de disques et d'un système de son, si j'aimais tellement la musique... J'ai pas eu besoin de lui raconter d'histoires, il s'en est souvenu lui-même... Aucune prise de courant dans ma maison !

– Ça a pas d'allure de vivre de même, André ! On dirait que tu vis encore dans l'ancien temps. Pis ça serait pas mal plus commode que tu te greyes[14] d'un congélateur pour conserver ton poisson. T'aurais pas besoin de tout' fumer ou saler. Pis d'un poêle électrique itou. Ça a sacrément pas de bon sens de devoir faire des feux dans ton poêle à bois en plein cœur d'été pour te faire à manger. Par chance, ta mère a au moins réussi à faire brancher un frigidaire. Une vraie histoire de fou ! Ton père voulait rien savoir. C'é pas bien de parler contre les morts mais ton père, pour dire, c'était vraiment un imbécile des fois. Pis tout l'temps de mauvaise humeur à part ça ! Y'avait fallu être rusé en pas pour rire pour réussir le coup. C'é papa qu'avait eu l'idée. C'é lui qu'a acheté le frigidaire pis ça lui a pris une bonne dizaine d'années à ta mère, après, pour réussir à le rembourser. A faisait ça en cachette, ton père en a jamais rien su. Y lui ont fait accroire que vous aviez gagné le frigidaire à un

_____

14. Se gréyer : s'équiper.

concours... Y'avaient prévu leur coup longtemps d'avance, même que tout le canton s'é fait avoir en même temps ! Quand ton père est revenu chez vous c'te soir-là, le frigidaire était là, branché. Pis plusieurs personnes étaient dans la cuisine à l'admirer, à dire à ta mère comment a était chanceuse de l'avoir gagné. C'était la première fois que y'avait quèque chose de branché dans la boîte électrique. L'électricien y'en revenait pas ! Pis moi, j'ai jamais compris pourquoi vous aviez l'électricité de passée, si vous l'utilisiez pas ? Ta mère a pas osé demander à l'électricien de mettre d'autres prises... a l'aurait dû ! J'sé pas comment ta mère a réussi à payer l'électricien mais pour ça, au moins, a avait pas besoin de faire de cachotteries !

– Je l'sé pas. Moi, tu m'en apprends. Mais j'peux t'en apprendre itou ! C'é la municipalité qu'a payé pour tout l'canton, avec des subventions du gouvernement, pis ensuite, le monde a payé pour ça sur leur compte de taxes durant les vingt années qu'ont suivi. Mais pour le frigidaire, on m'avait toujours dit que y'avait été gagné... Sûrement, on m'trouvait trop fou pour me mettre dans les confidences.

– Arrête voir de dire que t'é fou, André. T'é pas plus fou qu'un autre ! Y te l'ont pas dit simplement parce que t'étais trop jeune, c'é tout'. Chez nous, j'étais le seul à savoir, les autres auraient pu parler. Comme j'viens de te l'dire, tout le canton a cru au concours ! Pis en plus, moi, j'étais bien obligé d'être au courant, j'étais allé avec papa chercher le frigidaire au magasin ! À part de ça j'y pense, depuis l'temps, y doit pu fonctionner, c'te frigidaire-là ?

– Pour sûr qu'y fonctionne pu, ça doit faire une bonne dizaine d'années.

– Pis toi, t'en as pas acheté d'autre ? Tu vis sans frigidaire ?

– J'ai pas besoin de frigidaire !

Là, Louis à Edmond a éclaté de rire. Puis, toujours en riant, il a ajouté :

– J'pense que t'as raison, André, t'é complètement fou ! Il s'est remis à rire de plus belle et moi, j'ai ri avec lui. Après tout, j'étais d'accord ! Depuis le temps que je le connais, j'ai jamais entendu Louis à Edmond parler autant en une seule fois. Rire de même encore moins ! Je sais pas ce qui lui a pris mais c'était bien plaisant. Même si c'était un peu à mes dépens ! C'est pas méchant et ça me fait pas de peine. J'ai pour mon dire, quand on vaut pas une risette, on vaut pas grand-chose ! Et pour dire la vérité, j'aime ça, amuser le monde. Il y en a, juste de me voir arriver, ça les fait sourire... C'était comme ça avec Edmond. Et moi, ça me fâchait pas, bien au contraire, souvent, j'en rajoutais.

Le temps s'est remis au beau. J'en profite pour sortir en pêche et pour saler. En plus cette année, j'apporte du hareng et du maquereau à fumer sur La Grave, avant la fermeture. Durant l'été, je vends du poisson au fumoir et ils me proposent toujours de m'en fumer pour l'hiver. Comme j'aime pas beaucoup les nouvelles affaires, j'ai coutume de refuser. Là, ma vie est rendue tellement chamboulée, une affaire de plus ou une affaire de moins ! C'est drôle, ils m'ont proposé deux manières de fumer. Une normale, où le poisson devient complètement sec et se conserve longtemps, et une autre, meilleure paraîtrait, où il faut conserver le poisson au frigidaire vu qu'il est fumé moins longtemps. Je leur ai dit de juste m'en fumer un peu de cette façon-ci, pour goûter. J'ai prétendu que j'avais plus de place dans mon frigidaire ! Mais après avoir goûté la différence entre les deux, je me suis dit que Louis à Edmond avait raison. D'ici l'an prochain, je dois m'équiper d'un frigidaire. Une autre affaire ! Faut dire, l'automne, c'est une bonne période pour amasser de l'argent. Pour aller en pêche, il y a moins de distractions, et bien du monde de la place en profite pour se faire des réserves en prévision de l'hiver, et ils m'achètent de grosses quantités de poissons.

La semaine a passé vite, la pêche le jour et toutes les soirées à réécouter la Jorane.

Montréal, 20 novembre.

Bonjour, maman. J'ai eu le rôle, ils m'ont choisie ! Je suis si contente. J'ai encore de la difficulté à le croire. De plus, le rôle est plus important que je le croyais au départ. Je donne la réplique à Madame Pelletier trois fois dans la pièce. Des petites répliques mais quand même ! Je suis souvent sur scène, je joue le rôle de la bonne. Nous avons des répétitions presque chaque soir sauf le vendredi. Le vendredi, nous répétons toute la journée ! Nous ferons trois représentations avant les Fêtes. La première est déjà dans un mois, le 19 décembre. Cette date me fait terriblement peur ! Il ne faut pas trop que j'y pense.

Au Café, j'ai dû modifier mon horaire de travail et, à ma grande surprise, cela s'est avéré assez facile. La patronne a chamboulé l'horaire de tout le monde. Elle aime beaucoup le théâtre, c'est une grande admiratrice de Madame Pelletier. Je fais le même nombre d'heures qu'avant, mais je dois me lever tôt tous les matins... c'est parfois assez difficile !

Le 1ᵉʳ décembre, Yvon aménage officiellement avec moi ! En réalité, il est déjà là mais il n'a pas encore déménagé ses choses. Je me lève en même temps que lui, maintenant. Le Café ouvre à sept heures mais j'aime bien y être plus tôt. Avoir le temps de prendre un café tranquille, jaser un peu avec le cuisinier, et ouvrir aux vieux habitués qui arrivent parfois avant l'heure. Le Café est juste à côté de l'appartement alors quand il part, Yvon entre me donner un bec. Lui, il prend un gros déjeuner à l'appartement, il travaille comme débardeur dans le port et il a besoin de force pour tenir jusqu'au dîner !

Je mène un peu une vie de fou... Mais j'essaie de me garder du temps pour tout arrêter. Arrêter de penser, de répéter, de travailler, de lire même. Et sentir ce qui m'arrive.

Il fait maintenant trop froid et humide pour aller m'asseoir dans les parcs. Heureusement, mes répétitions sont assez loin de chez moi, ce qui m'oblige à de longues promenades. Ne t'inquiète pas, le soir, je ne reviens jamais seule, Yvon est toujours là à m'attendre. Mes répétitions ont lieu juste à côté de L'Esquire, un bar où nous allons souvent avec nos amis écouter du jazz. Yvon y va avant de venir me chercher et parfois, je vais les rejoindre là-bas. Je ne suis pas une grande adepte de jazz mais j'aime beaucoup la vie, la nuit. D'ailleurs, ce qui me plaît moins avec mon nouvel horaire de travail, ce n'est pas nécessairement de me lever tôt, c'est davantage de ne plus pouvoir passer la nuit dehors avec les amis !

Désolée d'avoir mis autant de temps à écrire, j'espère que tu ne t'es pas trop inquiétée.

Je dois aller répéter, je t'embrasse,

Julie, xxx

Elle a eu son rôle, pis c'est fou, je suis content pour elle comme si ça venait juste d'arriver. L'impression d'être juste à côté de Julie... de la regarder vivre. Je dois toujours me répéter que c'est de la vieille histoire. Prendre mes distances va être plus facile maintenant. À partir d'asteure, les saisons seront plus les mêmes. Déjà, je suis dans la troisième de septembre et elle, sûrement, elle écrira pas avant les Fêtes. C'est drôle, moi qu'a jamais lu un livre de ma vie, me voilà à me faire raconter la vie de ma sœur et, j'en suis sûr, c'est aussi beau que bien des romans à Camilla, ses romans pour passer le temps, comme elle dit.

Je suis retourné voir Louis pour lui dire mon intention de ramasser de l'argent pour un frigidaire. Il était content et il m'a fait un sacré beau cadeau. Il m'a donné un lecteur de cassettes avec tout un tas de vieilles cassettes qu'il écoute plus. Depuis la sortie des disques au laser, il s'est acheté le nouveau système et il achète un disque neuf de temps en temps. Il écoute plus ses vieilles cassettes. J'étais fou comme un balai. J'arrêtais pas de le remercier et lui, il m'a fait promettre de me faire installer une couple de prises électriques cet hiver, dès le moment où j'aurais assez d'argent pour payer un électricien. Il m'a dit que ça me coûterait moins cher à la longue. Acheter des batteries, ça coûte ! Je lui ai promis mais je préfère entendre la musique dehors dans ma cachette. Pis des promesses de fou, ça vaut ce que ça vaut ! Mais il a raison pareil, dans le sens où le mauvais temps s'en vient... Apparence, je passerai pas mes soirées à traîner dans les maisons cet hiver ! J'ai du rattrapage à faire du côté de la musique. C'est comme Julie, elle raconte qu'elle connaissait rien et qu'elle avait tout à apprendre. Moi, c'est pareil.

La journée ressemble à novembre mais je me suis quand même installé à ma place, bien habillé, pour écouter ma lettre. Pourvu qu'il mouille pas, je vais être correct.

Montréal, 23 décembre.

Bonjour, maman, je vous souhaite un beau Noël et une belle année 1967 à vous trois. Désolée, j'aurais beaucoup aimé que tu reçoives ce paquet à temps pour Noël. J'ai pris un temps fou et un grand plaisir à choisir tes gants, je voulais qu'ils soient les plus confortables possible, alors j'ai essayé à peu près tous les gants de la rue Sainte-Catherine et il y en a beaucoup ! J'espère que tu vas les aimer. S'il n'y a pas de tempête, tu devrais recevoir le paquet à temps pour les porter à la messe, au Jour de l'An. J'ai mis une tuque pour le petit, c'est tricoté par les Amérindiens, c'est très chaud et la grandeur me semble bonne. Pour papa, j'ai envoyé des bas de laine même si ceux que tu tricotes sont sûrement mieux, ceux-ci sont très doux, je ne savais pas quoi lui acheter, et je voulais absolument lui envoyer quelque chose. Tu lui souhaiteras la bonne année de ma part.

La pièce est un succès. J'aime tellement ce qui m'arrive. Et j'adore le théâtre ! Les trois fois, avant de monter sur la scène, j'ai eu l'impression de mourir de peur, puis une fois la pièce commencée, je suis devenue mon personnage et la peur est disparue. Yvon est venu voir les trois représentations et il est devenu ami avec tout le monde. Le théâtre, c'est comme une famille. Pour Noël, le metteur en scène, Paul Buissonneau, va recevoir toute la troupe à réveillonner chez lui. Après les Fêtes, nous allons la rejouer pendant trois mois à Montréal et ensuite, nous partirons en tournée à travers le Québec. Yvon n'est pas très emballé par cette tournée, mais ce n'est quand même pas pour tout de suite !

Il y a beaucoup de neige à Montréal. Je trouve la ville toute blanche, vraiment magnifique. Sur Sainte-Catherine, il y a des décorations dans chaque commerce. Beaucoup de familles viennent les voir. Les vitrines de chez Eaton, en particulier, sont de vraies scènes de théâtre. Il y a toujours un gros attroupement d'enfants devant le magasin.

C'est comme une pièce que jouent les différentes figurines et les petits bouts de choux tout emmitouflés sont complètement émerveillés devant ce spectacle. Je regarde les vitrines longuement moi aussi.

Pour le Jour de l'An, je vais avec Yvon dans sa famille, à leur chalet. J'espère que tout va bien se passer. Je vais rencontrer ses parents pour la première fois !

Le Café est fermé deux semaines pour la période des Fêtes. Ça me fait vraiment plaisir d'avoir des vacances et du temps pour ne rien faire !

Je t'embrasse, je vous embrasse tous les trois très fort. Portez-vous bien.

Je vous aime de tout mon cœur.

Julie xxx

Quand la lettre s'est arrêtée, je suis resté hébété un long bout. Je l'ai écoutée une deuxième fois, pis j'ai fait rejouer la Jorane, pour aider mes pensées à se calmer. Au début, je voyais juste la tuque des Indiens. Je l'aimais en pas pour rire, cette tuque-là ! Je l'avais tout le temps sur la tête. Je crois bien qu'elle s'agrandissait à mesure que ma tête grossissait. Maman avait dû la réparer une bonne dizaine de fois. J'étais bien content d'être un Indien. Un Indien solitaire à part ça !

À mesure que le calme s'installait dans moi, d'autres images ont refait surface. Avec la lettre, la mémoire me revenait. J'ai revu ce Jour de l'An-là, le premier où il y avait eu des cadeaux. Papa, en recevant ses bas, ça m'a marqué, il avait pas eu le temps de cacher ses larmes. Après, tout le long de la veillée, il avait pas arrêté de chicaner, pour se reprendre. Ce soir-là, j'ai compris que papa, malgré les racontages du canton, malgré ses claques derrière la tête... papa avait une part de bon. Maman et moi, je crois bien, on était les seuls à connaître cette part-là. Maman... elle aimait tellement ses gants ! Pour pas les user, elle les sortait seulement pour aller à la messe. Je me doutais peut-être que cette tuque-là venait de ma sœur, ça expliquerait pourquoi je l'aimais autant ? Je le sais pas. C'était tellement rare d'avoir des belles choses ! Faut dire itou, j'étais jeune, dans les huit ans et comme je l'ai déjà dit, j'ai pas de bons souvenirs de cette époque-là. Il y a comme un rideau devant ma mémoire, il m'empêche de voir. Ça fait mon affaire d'habitude... Là, c'est pas pareil. C'est des souvenirs plaisants à revoir ! J'ai fait jouer et rejouer la Jorane longtemps. Et j'ai laissé les images venir me visiter autant qu'elles le voulaient.

Le temps est revenu à la pluie. Un bon temps pour rester en-dedans. De la pluie, de la pluie et de la pluie encore. Et quand c'est pas la pluie, c'est des vents à décorner les bœufs. La plupart du temps, c'est un mélange des deux, un vent d'est pas bien fort et une petite pluie tannante qui te glace. Je suis resté encabané et j'ai écouté la musique de

Louis à Edmond. Même si elle est pas vraiment dans mes goûts, elle me fait du bien, sa musique, elle me fait rire. Tout le monde se plaint de la température. Moi, vrai comme je suis là, je suis bien content. Je fais des feux dans le poêle, je fume des cigarettes et j'écoute des cassettes. Je me suis même mis en tête de gratter le plancher, de le frotter, de le cirer. Après, en l'admirant, ça m'a fait drôle. Comme si maman était encore là ! J'ai même eu l'odeur et le goût des crêpes dans la bouche. J'étais pas triste, ça m'a juste rappelé du bon temps. Asteure, je vais essayer de garder la maison propre, si y'a moyen.

Mon deuxième paquet est arrivé à temps pour le dimanche. Et je me suis installé dans ma cachette. Je suis chanceux en diable, on dirait un jour d'été, qui fait mentir la saison.

Montréal, 5 janvier.

Bonjour, maman. J'espère que vous avez eu de la neige aux Îles pour le Temps des Fêtes, c'est tellement triste, les Noël où il pleut ! Moi, même si je me suis bien amusée durant les vacances, j'ai hâte de retrouver le Café. Je recommence à travailler lundi.

Tout s'est bien passé chez les parents d'Yvon. Comme je joue avec madame Pelletier et que les journalistes ont parlé en bien de la pièce, je profite des bonnes critiques !

Yvon s'est acheté une voiture. Il n'aura plus à emprunter la voiture de ses parents pour aller au chalet et puis pour son travail, c'est parfois plus simple que le métro. Il faut dire qu'à Montréal, ça bouge beaucoup en préparation de l'Exposition Universelle de cet été et dans le port, les gars sont débordés. Yvon pourrait faire des heures supplémentaires tous les soirs et toutes les fins de semaine s'il le voulait ! Tu dois sûrement en avoir entendu parler. Je trouve un peu dommage d'être partie au moment où ça aura lieu. Du moins, maintenant qu'il a une voiture, Yvon va peut-être venir me voir en tournée ! Désolée si ma lettre te paraît courte, mais il ne se passe rien de spécial présentement et puis, il faut que je te laisse, je dois préparer le nécessaire pour m'en aller au chalet. Yvon veut qu'on y aille dès son retour du travail.

Je t'embrasse, à bientôt,

Julie, xxx

La Jeune m'avait enregistré quatre lettres ce coup-ci, pis à la fin de la cassette, elle m'avait encore mis de la musique. Je suis resté à l'écouter tout en regardant les herbages autour. Je me disais, c'est surprenant comment on peut voir de couleurs si on regarde bien. Dans ces herbes folles-là, il y a beaucoup de bruns, c'est sûr, mais pas de gris du tout, comme des fois les gens disent. Si elles sont mouillées, il y a des rouges et des jaunes qui ressortent. Si le soleil se montre un brin, d'autres couleurs s'ajoutent encore. Sur le fond vert de la mer, c'est beau à voir. À cette période-ci de l'année, tout le monde se plaint que c'est rendu laid sur les Îles, mais ils regardent pas. Il faut regarder pour voir comme il y a encore du beau ! En tout cas, le bord de l'eau est rendu tranquille en masse. La Jeune m'a mis la chanson d'Évangeline chantée par Marie-Jo Thério. Elle dit que la chanson lui rappelle les Îles. C'est beau, mais il y a trop de mots à mon goût. En tout cas, à la première écoute. Après, j'ai réussi à juste entendre la musique et les mots sont devenus de la musique eux autres aussi. Encore une fois, j'étais un goéland planant au-dessus des eaux. Et je me suis endormi là. Quand je me suis décidé à rentrer, la noirceur tombait. Faut dire, la noirceur tombe de bonne heure asteure.

C'est rendu, il se passe pas une journée sans que je fasse une visite à Louis à Edmond. Je fais juste m'asseoir à côté de lui, ou bien je m'accote sur le cadre de porte, et j'allume une cigarette. Des fois, comme aujourd'hui, on se dit pas un mot, juste d'être là ensemble, c'est assez. De toute façon, comme il se passe pas grand-chose, y'a pas grand-chose à dire, ça fait qu'on dit rien.

À la boulangerie, Marie-Louise était pas mal plus jasante. Elle voudrait fermer pour l'hiver et aller passer une couple de mois en ville. L'hiver va être ennuyant en pas pour rire si Marie-Louise s'en va. Une place de moins à aller et l'hiver, y'a déjà pas une trâlée d'endroits... Si de partir pour un bout la rend heureuse, je suis content pour elle et j'espère bien qu'elle pourra le faire.

C'est une bonne période pour prendre du maquereau mais je manque d'acheteurs. Hier, j'ai dû donner ma pêche à Françoise, sinon les poissons se seraient perdus. En plus, je lui ai tout arrangé pour qu'elle puisse les mettre en pots. Je suis quand même pas perdant, elle m'a donné des pots de maquereaux... Pareil, c'est pas de même que je vais réussir à m'acheter un frigidaire ni avoir des prises de courant !

Je me suis installé à côté du poêle pour écouter ma lettre. C'est drôle, je l'ai réalisé depuis la lettre de Noël... Julie semble pas en vouloir à papa du tout. Encore des racontages du canton, l'histoire prétendant qu'elle était partie rapport à lui ! Le monde s'ils savent pas, ils inventent. Je suis bien content d'en avoir le cœur net. J'aimais pas à penser qu'elle en voulait autant à papa, même si pour sûr, je suis pas plus au courant du pourquoi de son départ. De toute manière, je me tracasse moins à tout comprendre... peut-être que la musique me tranquillise ? J'écoute plus ce qu'il y a dans les lettres, me semble, et j'essaie moins de deviner les choses en arrière.

Montréal, 11 février.

*Bonjour, maman. Tout va très bien. Notre pièce remporte
un beau succès. Nous jouons trois fois par semaine et je prends
de plus en plus de plaisir à jouer. Même si c'est la même pièce,
chaque soir est différent. Madame Larose m'encourage à passer des auditions, elle pense que je devrais tenter ma chance au
cinéma. Moi, je me trouve déjà bien assez occupée. Pour l'instant, étant donné la possibilité de tournée, je ne peux rien
entreprendre de nouveau de toute façon. À propos, la tournée
sera peut-être annulée pour que nous puissions jouer à Montréal durant l'Expo. J'aimerais beaucoup.*

*Yvon est très content d'avoir une voiture. Mais je n'ai pas
souvent l'occasion de partir avec lui et en plus, je suis peureuse
et je trouve qu'il conduit vite. Le samedi, Yvon n'est jamais à
l'appartement, soit il est au chalet, soit il fait des heures supplémentaires dans le port. Comme je ne dois être au théâtre
que pour cinq heures du soir, j'en profite pour dormir tard,
dans le silence complet et le grand froid qui crée une si belle
lumière. À cause du froid, le matin, je m'habille en restant
sous les couvertures comme je le faisais à la maison, mais ici,
quand je me lève, personne n'a parti de poêle ! Je m'enveloppe
dans ta courtepointe, je me fais un café et je passe la matinée
à regarder les toits et les pigeons. J'apprécie énormément ce
moment de solitude dans ma semaine. Quand je reviens du
théâtre, le samedi soir, Yvon est de retour. Parfois, il arrive
avant la fin de la pièce et on sort à l'Esquire avec toute
la troupe.*

J'espère que tout va bien à la maison, je t'embrasse,

Julie, xxx

Après avoir écouté ma lettre plusieurs fois, comme j'ai
coutume de faire, je me suis mis à faire du ménage dans ma

chambre pour pouvoir la laver... Mes nouvelles idées de mettre propre ! Pis là, à ma grande surprise, j'ai trouvé une cachette oubliée où j'avais mis de l'argent. Une soixantaine de piastres, mélangées à des bébelles. Plus tard, j'ai raconté ma trouvaille à Louis à Edmond, et il m'a dit que selon lui, ce serait assez pour faire passer les fils et installer des prises. Ensuite, quand j'aurais d'autre argent, je pourrais faire venir un électricien pour tout brancher dans la boîte électrique. J'ai fait comme il disait. Je me suis rendu voir Claude à André qui fait ces affaires-là. Lui, il sait tout faire, on dirait. Dans les jours suivants, il m'a installé quatre prises. Il en a même mis une pas loin du poêle pour mettre une lampe sur pied et pour que je puisse lire dans la chaise berçante ! J'ai pas osé dire à Claude à André que je savais pas lire... j'en ai honte, des fois. De toute façon, une lampe va bien faire, là, et je vais pouvoir brancher ma musique et m'y installer durant les longues veillées d'hiver. Pis je m'en viens aussi chanceux que Julie ! Claude à André avait un message de la part de sa mère. Elle aimerait que je lui apporte du maquereau pour canner et sa tante qui habite au Havre en veut itou ! Parti de même, je vais avoir mes prises branchées dans pas long !

Les dernières nuits, il y a eu des gelées, une bonne chose pour les pommes de pré. Moi d'habitude, j'en ramasse pas pour vendre, mais cette année, je manque pas une occasion de me faire un peu d'argent, rapport à mes projets. C'est pas un travail facile, toujours penché... avec ma grandeur ! C'est beau, par exemple ! Avec leur feuillage couleur de renard, les pommes de pré rouges comme le sang et, en plus, le vert de la mer juste à coté. Un vert qui arrête pas de changer selon les nuages dans le ciel. Je vais les ramasser au ras du cap. Derrière les maisons, on peut en cueillir pareillement mais c'est pas si beau, et l'air est pas si bon à respirer.

Je sais pas comment l'expliquer, mais les pommes de pré, elles attirent le soleil plus que le reste. Au cœur de la journée, c'est comme si la chaleur venait de la terre plutôt que du soleil en haut ! Pis ça dégage une de ces bonnes odeurs !

J'ai fait changement à mes habitudes, je me suis trouvé une belle place coupée du vent, au travers les pommes de pré, et c'est là que j'ai écouté la lettre de Julie.

Montréal, 20 mars.

Bonjour, maman. Je suis vraiment heureuse de tout ce qui m'arrive...

J'ai un rôle au cinéma, sans jamais avoir passé d'audition ! Madame Larose a parlé de moi à un de ses amis, monsieur Claude Jutra. Il est réalisateur et il veut que je fasse partie de la distribution du film qu'il va tourner cet été, à partir de juillet. Il m'a prévenue que mon rôle ne serait pas un rôle de gentille et m'a demandé si ça me faisait peur. Je lui ai dit non mais c'est oui, finalement... Depuis, je n'arrête pas d'y penser. Les gens vont m'identifier à la méchanceté et me trouver laide. Je pense à Jean-Pierre Masson et son rôle de Séraphin et cela me fait peur. Je ne veux pas que mes amis changent leur façon de me regarder.

Hier, monsieur Buissonneau nous a réunis pour nous annoncer la bonne nouvelle, la tournée est annulée ! Nous serons à Québec tout le mois de mai, puis nous reviendrons à Montréal pour l'été. Et je vais conserver ma place au Café, madame Parent va me remplacer tout le mois. Madame Larose est heureuse de la nouvelle. À chaque semaine, après son cours, nous allons ensemble prendre un café et discuter, et à chaque fois, elle me répète qu'elle a hâte que je joue autre chose, elle dit que je dois profiter de ma chance maintenant.

J'ai débuté des cours de danse et je m'y amuse beaucoup, je suis tellement raide, tout le monde en rit, moi y compris. Notre professeur prétend qu'elle n'a jamais vu quelqu'un d'aussi peu souple, et pourtant, je m'améliore ! Je ne vais pas faire carrière comme danseuse, aucun danger ! Et je ne serai pas plus occupée pour autant car mes cours de diction sont maintenant terminés.

J'espère que l'hiver n'a pas été trop dur aux Îles. Ici, je n'avais jamais vu autant de neige. Je pensais que le printemps n'arriverait jamais. C'était si beau, je n'étais pas pressée de le voir arriver ! Pourtant, il est là, ces derniers jours, la neige a fondu à une vitesse folle. Les grands froids sont finis, le temps est doux, comme on dit aux Îles. Le printemps me donne de l'énergie, je suis toujours dehors, je prends de longues marches.

Au Café, je ris beaucoup avec les clients. Une fois, l'un d'eux m'a surnommée Ginette (mon nom dans la pièce) et maintenant, tout le monde au Café m'appelle Ginette !

J'ai revu Mireille la semaine dernière, elle était venue me voir jouer. Elle est devenue une régulière des ateliers du frère Jérôme, mais moi, je n'y suis pas retournée depuis longtemps. On s'est promis de se revoir souvent. Mireille occupe une place à part dans mon cœur, je vois beaucoup de monde, mais elle est la seule à qui je parle vraiment.

Je dois me préparer, Yvon attend après moi pour qu'on s'en aille au chalet.

Je t'embrasse,

Julie, xxx

J'ai été occupé en pas pour rire les jours après ma livraison de maquereaux à la mère de Claude à André. Elle m'avait fait une liste de personnes qui voulaient acheter du maquereau. Je sais bien pas pourquoi elle est aussi fine ? J'imagine que son garçon lui a parlé de ma maison et qu'elle trouve épouvantable de vivre à ma façon ! Je dois lui faire pitié. Moi, je me trouve pas à plaindre mais si ça peut me faire vendre plus de maquereaux... j'ai rien contre.

Là, j'avais l'air fou pareil, avec ma liste, et sans savoir lire. J'ai bien été obligé de lui dire que je savais pas. Mais j'ai une sacrée bonne mémoire. Elle pouvait juste me dire les noms et j'en oublierais pas un seul. À son regard, en parlant, je me sentais devenir misérable. C'est certain, elle va dire une prière pour moi !

On a fait comme tel, et ses prières doivent avoir été exaucées... des six personnes à en vouloir, je me suis retrouvé à faire une quinzaine de maisons. Chacun connaissait quelqu'un d'autre à en vouloir aussi. J'ai bien cru vider la baie de tous ses maquereaux ! En deux semaines, je me suis fait autant d'argent qu'en un mois d'été. Je peux le dire, les prises ont été branchées vite ! Claude à André a tout arrangé avec l'électricien. Moi, j'ai juste eu à payer une fois l'ouvrage faite. En tout cas, je dis juste, mais c'était pas rien ! Les électriciens, ils sont chérants en pas pour rire. L'argent de mes deux semaines y a passé ! Et je crois bien, la mère à Claude à André, elle s'est mise à se prendre pour le bon Dieu... Un autre matin, j'ai vu arriver son Claude. Elle avait décidé de changer de frigidaire et elle voulait me donner son vieux. Ça allait prendre un bon mois avant de recevoir le nouveau. Claude à André était venu me prévenir tout de suite avant que je m'en achète un neuf. Là, je trouvais l'histoire un peu poussée, je l'ai dit.

– J'trouve ça trop que ta mère me donne son vieux frigidaire. Toi qui connais les affaires électriques, ça vaut combien, c'te frigidaire-là ?

– Laisse-la faire, si a veut changer de frigidaire, ça la r'garde..

– Non, non, qu'a veule changer de frigidaire, c'é son affaire, mais qu'a veule me donner l'autre pour rien, c'é aut' chose. Ça devient mon affaire itou ! Enwoye, réponds, y vaut combien ?

– C'é dur à dire, c'é encore un bon frigidaire, neuf ça se vend autour de 900 piastres, mais usagé... si a voulait le vendre, a aurait pas plus de 200.

– Bon, c'é correct, tu diras à ta mère que j'suis d'accord mais seulement si a veut que je lui donne 150 piastres pour, sinon j'en veux pas. J'suis capable de m'payer mes affaires, j'ai pas besoin que le monde me fasse la charité !

On a fait comme ça. Claude à André est venu me dire que sa mère voulait pas prendre plus de 100 piastres. J'ai accepté. Je lui apporterai du poisson de temps en temps pour payer la balance et tout le monde sera content. Bien d'adon d'avoir été aussi occupé, novembre, le mois le plus triste de l'année, a passé sans que je m'en rende compte.

À la boulangerie, Marie-Louise était déprimée et j'allais faire mon tour souvent pour y tenir compagnie, même si elle était pas bien jasante. Elle a pas été en mesure de partir comme elle le voulait, rapport à ses finances. C'était loin de faire son affaire. En plus, le temps est rendu triste en pas pour rire. Difficile de voir des couleurs quelque part. Ni dans les herbages ni ailleurs. La terre est quasiment rendue de la même couleur que le ciel. Il mouille pas aujourd'hui, par exemple, le temps est tellement humide, j'aurais pas idée d'aller m'asseoir au-dehors ! Je me suis parti un gros feu, j'ai allumé une cigarette et j'ai écouté la dernière lettre de ma cassette assis au ras le poêle. J'ai l'impression d'être rendu comme un vieux, toujours assis dans ma berceuse, au chaud. Y manquerait plus que je me mette à fumer la pipe ! Mais ma maison a plutôt l'air d'être habitée par une vieille femme tellement c'est rendu propre ici dedans. Je crois même qu'au cours de l'hiver, je vais essayer d'entreprendre la chambre des vieux. Ça me le dit moins... J'aime pas à y entrer. Toute une job à nettoyer itou ! Depuis un sacré bout, y'a pas eu de ménage. La dernière fois, c'était peut-être à la mort de maman ! Pour tout de suite, j'ai assez de ménage à faire au dehors avant l'hiver sans penser à celui à faire en-dedans.

Bonjour, maman. Hier, j'ai fait quelque chose de vraiment osé. Je me suis surprise moi-même ! J'avais rendez-vous avec monsieur Jutra pour discuter de la pièce et je lui ai dit de chercher une autre personne pour le rôle. Je lui ai expliqué que depuis toute petite, je me trouvais laide. J'ai un drôle de visage qui ne laisse pas indifférent. Mais je crois que si les gens m'aiment, ils finissent par me trouver belle. Moi, j'arrive à me regarder dans un miroir sans grimacer, depuis peu. Si je joue un rôle de méchante, les gens vont voir ma laideur et ne verront plus qu'elle par la suite. Et vraiment, maman, j'étais partie ! J'ai même ajouté que c'était cliché de toujours donner les rôles de méchants aux gens laids, que la méchanceté était souvent cachée derrière les beaux traits.

Il était très étonné. Il m'a dit que pour une artiste, son art devait être au-dessus de ces considérations-là. Je lui ai répondu que pour moi, c'était ma vie en premier. Je crois qu'il était plus surpris que fâché et surtout, agacé de devoir trouver quelqu'un d'autre pour le rôle. Les acteurs ne manquent pas, et moi, je suis vraiment fière ! Quoique encore un peu surprise de mon audace ! Il ne reste plus qu'à expliquer tout cela à madame Larose. Je suis certaine qu'elle va comprendre.

Nous avons eu une dernière tempête surprise cette semaine. La neige a recouvert les fleurs de printemps et a rendu tout le monde grognon durant deux jours. La neige a fondu vite et la chaleur est déjà de retour. Mais, j'ai bien aimé me lever le matin après la neige et revoir l'hiver une dernière fois. La ville recouverte de blanc et la lumière partout !

Les représentations à Montréal sont finies pour ce printemps. Nous partons pour Québec la semaine prochaine. J'ai hâte de voir Québec. J'ai quand même un peu peur d'être toujours en groupe, de partager ma chambre et de ne pas avoir de temps seule. Tu sais en ville, le communautaire est vraiment à la mode : vivre tout le monde ensemble, tout partager. Parfois, je me sens complètement déphasée. Moi, j'ai parfois un besoin très fort de solitude même si j'aime beaucoup voir du monde aussi. Mais enfin, ils sont tous si gentils, je suis certaine que tout se passera bien.

Je te laisse pour cette fois, je t'embrasse et je pense à toi,

Julie, xxx

J'étais fier, fier de Julie, fier d'avoir une sœur pareillement courageuse. C'est brave de choisir, de pas laisser la vie faire son bon vouloir. Pas grand monde aurait osé dire non à son premier rôle dans une vue... Pour sûr, Julie était pas une tête en l'air ! Je me dis aussi que s'il avait du bon sens, cet homme-là, il comprendrait la force de Julie et il lui donnerait un autre rôle, un autre jour. J'ai pour mon dire, c'est pas bon de garder les affaires par en-dedans, c'est toujours mieux de les laisser sortir, quitte à faire des ravages des fois !

Comme d'habitude, cette lettre-là m'a ragaillardi. Je me suis mis la Jorane après. Devant le poêle, je l'ai écoutée et réécoutée encore. Peut-être après cinq fois, je me suis aperçu que j'avais oublié de brancher ma machine, c'est pas d'avance. J'ai installé le lecteur de cassettes de Louis sur une petite table à côté du poêle et j'ai allumé ma nouvelle lampe. Et j'ai aussi écouté du Johnny Cash, jusqu'asteure, c'est ce que je préfère dans la musique à Louis.

J'ai passé le reste de la soirée comme ça, à écouter de la musique et à chauffer le poêle, le temps était rendu cru. Au petit matin, je me suis fait réveiller par la lumière. Une belle couche de neige recouvrait l'herbe brune. J'en ai profité pour remettre la Jorane en prenant mon déjeuner et en regardant au-dehors. Quand la pièce a arrêté de jouer, on voyait déjà la vase percer à travers le blanc. Des matins de même, je suis bien content d'être matinal. La plupart du monde se seront pas aperçus de la neige de cette nuit ! Et de la beauté du petit matin.

J'ai passé la semaine à faire du ménage autour de la maison, à rentrer des affaires dans le petit magasin et à m'approcher du bois de chauffage.

Décembre a passé lentement. Un grain de neige, des rafales de pluie et des bourrasques de vent. Heureusement, j'avais ma musique pour passer mes soirées. Le jour, je m'obligeais à sortir prendre l'air. J'allais faire mes visites à l'un pis à l'autre. Un peu de parlure sur le temps et beaucoup de silences vu qu'y se passe pas grand-chose. En plus, les femmes faisaient leur cuisine des Fêtes et ça les rendait moins avenantes.

Monsieur Mozart

La semaine avant Noël, les choses ont changé. Tout le monde est devenu plus loquace, comme de meilleure humeur, surtout ceux en attente de visite d'en-dehors. Mon paquet est arrivé le 22 et j'étais content en pas pour rire. Je me le suis réservé pour le réveillon, le soir le plus triste de l'année bien souvent. C'est un beau cadeau qui m'attend ! D'autant plus que je me suis acheté une cassette de musique classique dont Pierre à Charles m'avait parlé. Du Mozart, un requiem ça s'appelle. Lui aussi, je le garde pour le réveillon !

J'aime la messe de minuit. Avant, je m'assoyais en arrière, par gêne. De là, j'entendais pas bien la musique. Il y avait toujours du monde qui en profitait pour placoter justement durant les pièces de musique, en m'empêchant d'entendre. Maintenant, j'arrive de bonne heure et je m'installe au jubé. Pas près du bord, je veux ni voir ni être vu. Juste assez près de la nef. Là, même les plus épivardés osent pas parler. Et c'est le meilleur endroit pour entendre les chants.

En revenant chez nous, avant même de mettre une bûche dans le poêle, j'ai mis ma nouvelle cassette de musique. Et j'ai été obligé de m'asseoir dret-là. Mes jambes me supportaient plus. Je me suis assis dans la berceuse et j'ai plus bougé. Mais en réel, je sais plus où j'étais ! Quand la cassette est arrivée à sa fin, j'étais encore surpris. Et ça m'a pris un grand bout avant d'en revenir. Je me suis souvenu de mon intention de mettre ma dinde à réchauffer au four. Un cadeau de Noël de Marie-Louise. Pourtant, le poêle était éteint, la maison commençait à refroidir et moi, j'avais toujours pas grouillé. Le pire, je serais bien embêté de dire à quoi j'ai pensé et où est-ce que j'étais parti. Je me sentais figé. De ma vie, jamais j'avais entendu rien ressemblant à cette musique-là, même pas un peu !

J'ai reparti mon poêle dans le silence. Et j'ai mis ma dinde au four. Pendant qu'elle réchauffait, je me suis épluché des patates et je les ai mises à cuire. Toujours en silence. Je voulais me garder occupé pour pas succomber à la tentation de remettre la cassette tout de suite... et laisser brûler ma dinde ! Je me suis mis une table de fête, avec des chandelles même et, une fois que tout a été prêt, j'ai écouté la lettre de Julie. La musique, j'y connais pas grand-chose mais je sais déjà que j'aurais pas été en mesure de manger en écoutant cette musique-là... Ma dinde aurait refroidi et il m'aurait fallu tout recommencer !

Montréal, 14 mai.

Bonjour, maman, je t'écris de Québec. Les autres sont tous partis faire une croisière sur le fleuve. J'ai préféré rester seule. J'ai dit que j'étais fatiguée, que je voulais me reposer. Je voulais surtout avoir du temps pour moi. J'ai marché dans les rues et sur les plaines d'Abraham. J'ai passé une très belle journée sans parler à personne et finalement, c'est vrai, je me suis reposée. Puis je suis revenue t'écrire à la chambre avant que les autres ne soient de retour.

J'aime beaucoup Québec, même si je ne penserais jamais à venir y vivre... J'ai l'impression de marcher à travers un tableau. Les bâtiments, le château, les plaines d'Abraham et la promenade avec la vue sur le fleuve. Et tous ces beaux escaliers de bois qui relient la haute et la basse ville, je pourrais y marcher pendant des jours sans m'ennuyer. Mais c'est étrange, cette ville ne me semble pas réelle, j'ai de la difficulté à croire que des gens y vivent pour vrai.

La pièce fonctionne bien, les critiques sont moins enthousiastes qu'à Montréal, mais les salles sont pleines. C'est peut-être aussi moi qui suis moins positive et qui vois les choses moins belles qu'elles ne le sont ! Je suis un peu triste. Madame Larose m'a fait une grosse colère quand je lui ai dit à propos du rôle, et même si je sais qu'elle ne va pas m'en vouloir toute ma vie, j'ai de la peine de ne pas être comprise par elle. D'autant plus que c'était une décision importante. Je ne suis pas si sûre de moi, j'aurais bien besoin de son soutien. Yvon non plus ne comprend pas, et je sens que mes amis me désapprouvent aussi. Je me sens bien seule. Je noircis un peu les choses cependant, il y a quelqu'un qui me supporte et c'est quelqu'un de taille... Madame Pelletier m'a fait comprendre qu'elle approuvait ma décision.

C'était durant un souper au restaurant, après un spectacle. C'est rare qu'elle sorte avec nous, mais cette fois-là, elle y était. À un moment donné, je l'ai entendue dire que dans la vie, on devait faire des choix et ne pas la laisser décider pour nous. J'ai levé les yeux vers elle et elle m'a fait un signe de connivence avec un beau sourire. Ça me fait du bien de savoir qu'elle m'approuve, même si j'aimerais que mes proches puissent me comprendre aussi. Yvon va monter pour la fin *de semaine, j'ai hâte. Et j'espère qu'à mon retour, madame Larose ne m'en voudra plus !*

Je t'embrasse,

Julie, xxx

J'ai dû réécouter la lettre de Julie trois fois. J'étais encore à l'envers, rapport à la musique, et j'arrivais pas à en comprendre le propos. Finalement, quand j'ai eu compris, j'étais pas inquiet pour Julie. Madame Larose et son mauvais caractère, sa réaction me semble normale. J'en connais plusieurs prompts à se fâcher comme elle... ils se défâchent aussi vite. Dans le fond, ils pensent pas un traître mot de ce qu'ils disent ! J'en suis certain, elle en voulait pas du tout à Julie. S'il y a de quoi, elle s'en voulait à elle, pour lui avoir trouvé un premier rôle pas des plus fameux. Mais c'est pas quelque chose d'aisé à avouer ! Et pour les autres, d'après moi, ils devaient être normaux, pas laids, je veux dire. Ils avaient peut-être pas assez vu de choses dans leur vie pour comprendre les gens différents d'eux. C'est facile de pas trouver la beauté importante quand le monde vous regarde avec le grand sourire ! En tous les cas, je vais pas faire mon révolté mais moi, Julie, je suis bien placé pour la comprendre. Peut-être aussi qu'elle avait raison, comme les gens l'aimaient, ils la trouvaient pas laide. Un peu à la manière des jeunes enfants qu'adorent leur chien, laid comme le cul d'une poule. Eux autres, ils le trouvent beau, leur chien. Non vraiment, j'étais pas inquiet du tout... j'étais fier plutôt de ma grande sœur, et confiant.

Une fois mon repas fini, j'ai tout ramassé, j'ai soufflé mes chandelles et j'ai remis ma cassette de musique. J'ai passé le reste de la nuit avec monsieur Mozart. Le plus beau réveillon de ma vie ! Oui, pour sûr, le plus beau Temps des Fêtes possible à avoir.

Toute la semaine de Noël, je l'ai passé à écouter monsieur Mozart. Le jour, j'allais voir le monde. Je me faisais offrir du sucre à la crème et des petits verres de gin, mais je me contentais d'une liqueur[15]. Aussitôt la noirceur arrivée, je m'en allais chez nous. Je bourrais le poêle bien comme il faut, et j'écoutais ma musique jusqu'à tard dans la nuit.

C'est bizarre... des fois, je trouvais ça tellement beau, on aurait dit que c'était trop, ça me faisait quasiment mal. J'en avais de la misère à respirer. L'idée me venait qu'après cette musique-là, tout le reste allait me paraître moins beau. Mais tout le contraire est arrivé... Je voyais de la beauté où j'en avais jamais vu avant. Vraiment, une bien belle semaine ! Je savais déjà qu'elle serait là longtemps... dans ma mémoire !

J'avais raconté à Louis à Edmond comment j'aimais ma nouvelle musique et, le matin du 31, il est arrivé à ma porte avec une nouvelle cassette de monsieur Mozart. C'était la première fois que Louis à Edmond entrait chez nous depuis le temps où j'ai souvenance. Il était déjà venu, pour sûr... En entrant, il s'est étonné de trouver la maison quasiment inchangée. J'étais content, selon lui c'était comme avant mais en plus beau et là, y comprenait pas pourquoi. Peut-être il y avait moins de meubles qu'avant ? Moi, j'en savais la raison, je lui ai dit. J'avais ciré les murs de vieilles planches et vernis le plancher pour qu'il se lave mieux. La cire sur les murs faisait ressortir le rouge des vielles planches de pin. Tout ça mettait plus de lumière dans la maison. J'avais appris comment faire d'un touriste, une fois où j'écoutais une conversation sur La Grave.

– C'é vrai que tu tiens ça propre itou, pis kôlik... t'as un mautadit beau poêle !

---

15. Aux Îles, le mot « liqueur » est utilisé pour désigner une boisson gazeuse.

– C'é depuis que j'me suis mis à écouter de la musique... j'suis bien plus souvent en d'dans, pis j'frotte. J'aime que ça soit propre. Le poêle, c'é le même vieux qu'avant, mais une fois bien frotté... y se r'semble pu.

J'ai attendu au soir pour écouter ma nouvelle cassette. Mais j'ai commencé par la lettre de Julie... Je m'étais raffiné !

Montréal, 4 juin.

Je suis heureuse d'être de retour à Montréal. Mon appartement me semble plus beau, plus grand, et la ville... je ne peux pas dire plus belle, pas après avoir vu Québec, mais disons, plus attachante. Je suis vite allée au petit parc pour voir mon orme. En partant, ses feuilles n'étaient que des bourgeons et là, elles sont toutes ouvertes. La ville entière est pleine de fleurs.

J'ai eu toute une surprise à mon premier cours de théâtre quand madame Larose m'a annoncé que j'allais quand même jouer dans le film. Au début, j'ai eu peur, je pensais qu'elle s'était mise en tête de me convaincre. Mais une fille de la distribution a simplement accepté de changer de rôle. Mon nouveau rôle sera moins important mais j'aurai tout de même une expérience de cinéma. Je suis vraiment chanceuse !

Très bientôt, à partir du 15 juin, nous allons présenter la pièce un soir par semaine, le vendredi. Pour l'Exposition Universelle, il y aura des spectacles dans toutes les salles afin d'offrir des sorties culturelles aux gens attendus de partout à travers le monde. Je m'attends à passer un été vraiment extraordinaire, déjà on sent beaucoup d'énergie dans l'air. Autre bonne nouvelle, j'ai appris que mes cachets vont être augmentés pour les représentations de cet été. Je vais peut-être réussir à mettre un peu d'argent de côté ! Depuis qu'Yvon habite avec moi, il paie la moitié du loyer et sa mère lui envoie toujours plein de nourriture. Mais je ne deviendrai jamais riche, je dépense trop. Je dois apprendre mon rôle pour le cinéma, et ce ne sera pas bien difficile. L'été s'annonce trop facile en fait, c'est peut-être l'énergie du printemps qui me contamine ?

J'étais heureuse de retrouver le Café et d'y revoir tout mon monde après un mois d'absence. Je me suis attachée à plusieurs personnes au Café.

D'abord, il y a Joe, un vieux monsieur, il me fait toujours un résumé des journaux après que les gens du déjeuner soient partis. Isabelle, la coiffeuse, elle travaille au salon du coin et elle prend une pause tous les après-midi à trois heures. Isabelle démolit tous mes préjugés. Elle est incroyablement intelligente et j'ai l'impression qu'elle sait tout de la vie. J'adore l'écouter et la regarder aussi, elle est si belle sous son maquillage parfait et ses cheveux impeccables. Souvent, je prends ma pause avec elle et elle me raconte le quartier, une coiffeuse sait tout ! Ça aussi, c'est peut-être un préjugé, mais Isabelle fait la preuve que c'est vrai à chacune de ses visites. Et il y a d'autres clients, moins assidus, mais que je revois régulièrement. « Le gris », avec ses problèmes de drogues. Il vient tous les jours quand il est correct et il disparaît quand ses idées noires et la drogue le reprennent. Il me parle de livres, il me fait découvrir des auteurs et j'adore l'entendre parler, c'est un passionné. Grâce à lui, j'ai lu des livres magnifiques. Quand il disparaît, je suis triste et j'ai peur pour lui. Alors, je lis les livres dont il m'a parlé, je ne peux rien faire d'autre que de l'écouter, et je lui dis que je me suis inquiétée et qu'il m'a manqué, quand il revient.

Il fait une journée magnifique aujourd'hui, je vais marcher avant de rentrer travailler au Café. J'ai repris mon horaire que j'avais avant. J'ai retrouvé mes matins libres, pour fainéanter au lit et surtout, mes nuits pour voir les amis !

Je t'embrasse, à bientôt,

Julie, xxx

Cette fois-ci, j'ai été moins surpris en écoutant la nouvelle cassette de musique. Je savais à quoi m'attendre. J'en ai quasiment perdu connaissance pareil, mais j'avais prévu mon coup, la clé du poêle était baissée pour qu'il chauffe doucement sans s'éteindre. Pour dire, je me sens un peu coupable d'aimer autant la musique, comparé aux lettres de Julie, je veux dire. Les lettres, elles sont un peu comme une musique, une berceuse. Je sais pas si je l'ai déjà dit, mais la Jeune, elle a une terrible de belle voix, douce et claire... on dirait un ange. Je suis content d'avoir des nouvelles et de me faire bercer comme si j'étais en mer, mais la musique... c'est autre chose. Cette musique-là, c'est comme si je commençais à vivre. Comme si avant il me manquait une partie, et que cette partie-là prenait sa place. Comme si toute ma vie d'avant, je l'avais attendue, sans le savoir. J'étais pas malheureux, en seulement, c'est malaisé à expliquer... En écoutant Mozart, je m'oublie. Mon corps, ma laideur, jusqu'à ma folie a plus aucune valeur. Ça doit ressembler à l'apparition d'un ange pour la Vierge Marie et pour d'autres, d'après les dires du curé. Me voilà à me comparer aux saints et à la Vierge... c'est rendu grave, mon affaire !

|L'ENQUÊTE...

Le premier de l'an, j'ai fait le tour des maisons pour souhaiter la bonne année. J'en ai profité pour remercier Louis à Edmond de sa cassette et là, je sais pas ce qui m'a pris... sans le vouloir, je lui ai parlé des lettres.

– Eille ! Louis, tu m'avais jamais dit que ma sœur Julie avait fait des films ?

Louis a figé. Je l'avais jamais vu de même. Il a regardé à terre et m'a pas répondu. Après un petit bout, il a dit qu'il devait aller faire une commission et il est parti sans me regarder. Je suis resté bête, planté là tout seul. Pourtant, j'étais tellement heureux avec ma musique que pas longtemps après, ça m'avait déjà sorti de la tête.

Dans les jours qui ont suivi, par exemple, j'ai jonglé à Louis à Edmond. Et plus j'y jonglais, plus je me disais que si Louis était autant bizarre avec moi avant, c'était peut-être pas juste rapport à moi ! C'était peut-être rapport à ma sœur ? Louis m'a jamais dit un mot sur Julie... Sur maman, sur papa, c'était arrivé bien des fois, mais sur Julie, jamais ! Je me suis dit qu'il me fallait essayer de démêler l'histoire de Julie. Depuis le temps, me semble, il devait bien y avoir quelqu'un pour me renseigner ! J'ai décidé de commencer à poser des questions. Sans passer par Louis à Edmond, même si c'était peut-être lui le mieux informé. J'ai attendu après le départ de la visite d'en-dehors, et j'ai commencé à fouiner...

Une bonne journée où je savais Louis parti ailleurs, je suis allé voir sa mère. J'ai bien regardé aux travers des vitres avant d'entrer pour être certain de trouver Camilla tout fin seule et après, j'ai fait semblant de rien. Elle avait de la jasette, elle arrêtait pas de parler de ses enfants et de ses petits-enfants surtout. De me raconter les façons de chacun, du plus vieux de sa fille, toujours assis devant la télévision. J'en ai profité quand elle a dit :

– Lui c'é certain, y'aime mieux à r'garder des films qu'à jouer dehors dans la neige.

J'ai pensé en moi-même qu'il y a pas grand neige à jouer dedans cette année sur les Îles, mais j'ai dit autrement :

– En parlant de film, ça a l'air que ma sœur Julie a l'en faisait, des films, avez-vous déjà entendu parler de ça ?

– Ta sœur Julie faire des films ? Ça m'dit quèque chose... mais moi, tu sé, j'suis pas forte sur les vues, j'suis pas trop au courant, c'é plus Louis qui pourrait te l'dire parce qu'y la connaissait bien, Julie. Y'étaient toujours collés, ces deux là. Toujours ensemble pour se rendre à l'école, toujours ensemble pour aller su l'bord de l'eau, toujours ensemble aux foins, toujours ensemble pour tout'. Y se lâchaient pas d'une semelle. Louis, ça lui en a fait de la peine quand a l'é partie, surtout qu'a lui a jamais écrit après, jamais donné de ses nouvelles...

– Ça fait que Louis pis Julie, c'était des amoureux ?

– Non, non, c'é pas c'que j't'ai dit, c'é pas ça en tout' ! Louis pis Julie, c'était les deux plus grands amis du monde. C'é pour ça que Louis, ça lui a fait autant de peine. Une amourette d'enfant, p't-être ça s'oublie... mais une amitié comme la leur... C'é bien difficile à comprendre pourquoi a lui donnait pas de nouvelles après ? Peut-être qu'y s'était passé quéque chose ? C'é dur à dire, Louis y'en parle jamais. Louis, y'était amoureux de Berthe à Jean-Émile. Gêné comme y'était pis que y'é encore, j'pense qu'y lui a jamais parlé. J'suis sûr que Berthe s'é mariée sans même savoir qu'a avait un prétendant depuis des années! Tu vois, l'histoire de Berthe maintenant, Louis y'en rit. C'é pour ça que je suis au courant. Mais pour Julie, c'é pas pareil... j'l'ai jamais entendu en parler, encore bien moins en rire!

J'en ai appris bien plus que je m'y attendais en une seule fois. Mais je suis pas plus avancé à savoir pourquoi Julie est partie! Et maintenant, il me faut comprendre pourquoi elle avait plus donné de ses nouvelles à Louis. Je me retrouve avec deux mystères au lieu d'un. Plus on en sait, plus ça se complique, des fois! Mais la raison pourquoi Julie est partie m'a tout l'air d'être la même pour expliquer pourquoi elle a plus donné de nouvelles à Louis!

Dans le courant de la semaine, à la pointe du jour, je me suis rendu chez Jean-Marc à Philiase. À cette heure-là, tout le monde serait encore couché à part Françoise. J'ai quand même jeté un œil par la vitre avant d'entrer, pour être certain. C'est la maison la plus près de chez nous, et je me suis dit que Françoise pourrait me renseigner. Au début, on a parlé de choses et d'autres, pis je lui ai demandé de me parler de Julie. Je lui ai demandé si elle savait la raison de son départ. Françoise m'a regardé un grand bout avant de me répondre, à force, ça me rendait mal à l'aise.

– C'é drôle comme tu changes, toi, depuis un bout? T'é rendu que tu passes ton temps chez vous, en d'dans, à écouter de la musique... non, non, aie pas peur, j'écoute pas aux portes, en seulement, quand j'sors dehors en soirée pis que y'a pas un bruit, ta musique é facile à entendre... Pis là, v'là ti pas que tu t'intéresses à ta sœur Julie! Depuis l'temps... j'm'attendais toujours à ce que tu me poses des questions, mais non, t'en parlais jamais. J'te trouvais vraiment pas curieux, pis là, tu t'décides... Bon, ben, veux-tu du thé?

J'ai pris un thé, Françoise s'est rassise en face de moi, et elle m'a raconté ma sœur.

– Julie, c'était quelqu'un! Sûrement la fille la plus intelligente que y'a jamais eu dans le canton! Oh, pour sûr, pas la plus jolie mais, remarque, on pouvait pas la trouver laide non plus. A avait de bien beaux yeux avec tellement d'intelligence au fond que personne s'é jamais moqué d'elle. A s'tenait bien itou, toujours droite, avec une façon de marcher à elle... élégante, j'dirais, c'é quèque chose de pas bien répandu dans l'bout'! Son visage était pas beau comme celui des vedettes de télévision! Mais comment j'te dirais... les traits de son visage étaient uniques pis d'une certaine manière, ça la rendait presque belle. C'était la grande amie de Louis à Edmond, y se lâchaient pas d'une semelle, ces deux-là. Lui aussi, y'é bien intelligent, apparence... parce qu'y parle pas bien souvent, ça fait que c'é dur de savoir... pis moi, j'le connais pas trop, trop. Les deux plus smartes du coin, en tout cas! Toujours le nez dans les livres pis toujours premiers de classe...

Là, Françoise s'est arrêtée de parler, les yeux perdus dans le vide. Pis après un bout, elle a repris:

– Julie, je l'aimais beaucoup. A venait ici depuis qu'a était p'tite, écouter les bonhommes parce que vous aviez pas de télévision chez vous. J'aimais ça, parler avec elle. Au début de mon mariage, j'connaissais personne dans l'canton. Tu sé, j'me suis mariée vieille pour l'époque, vingt-cinq ans! Julie devait avoir dans les huit ans quand j'suis arrivée dans l'bout. Ça lui a pas pris de temps pour prendre ses aises ici pis moi, ça faisait mon affaire. J'étais mariée à un homme bien plus vieux que moi, j'avais pas d'enfants... C'é Julie qui m'a tout' appris sur le canton. On s'entendait bien malgré la différence d'âge. Faut dire que Julie, a faisait plus vieille que son âge pis moi, c'était plutôt le contraire! J'ai eu mon premier, la même année où Julie est partie! Imagine, à 33 ans... comme les filles d'aujourd'hui, j'étais en avance sur mon temps!

On a entendu du bruit venant d'en haut et je me suis levé pour partir. Françoise m'a dit de revenir un autre matin.

Si je le voulais, elle me parlerait encore de Julie. J'imaginais pas mon travail de fouineur si facile. J'avais oublié comment les femmes aiment à parler ! Je trouvais même que ça allait un peu trop vite. J'avais pas assez de temps pour tout bien comprendre de Julie. J'avais besoin de temps pour la voir avec Louis... Pour les regarder revenir de l'école à pied en parlant d'un livre... De temps pour les voir assis dans l'herbe sur les buttes, ensemble, sans parler... J'avais besoin de temps et j'ai décidé de le laisser passer avant de retourner voir Françoise. J'ai même laissé passer une semaine de plus avant d'écouter la dernière lettre de mon paquet.

À chaque soir, je m'assoyais devant le poêle. Je me faisais une bonne attisée et je voyais Julie. J'écoutais Julie dans ma tête. Pour sûr, avec de la musique pour accompagner mes rêveries !

Montréal, 22 juin.

La folie s'est installée à Montréal, maman. Il y a des spectacles présentés partout dans la ville. Et je suis allée à plusieurs reprises déjà sur le site de l'Expo. Tout y est merveilleux. Il y a un genre de téléphérique, le monorail, il passe d'un pavillon à l'autre dans les airs et permet de bien voir le site. Je passe plus de temps là-haut qu'à marcher sur le sol ! J'ai acheté un passeport et je peux aller sur le site aussi souvent que je le désire. Et grande nouveauté, je prends le métro, maintenant ! Je ne l'avais pas encore essayé, j'avais peur d'aller sous terre, mais pour se rendre sur le site de l'Expo, c'est idéal. Et le métro est très amusant, surtout en revenant tard le soir, les wagons sont bondés et nous chantons tout le long du retour et même dans les rues ensuite. Ce ne sera pas un été de tout repos pour les gens qui ont le sommeil fragile... J'y vais avec des amis et nous nous faisons d'autres amis une fois sur place. C'est complètement fou. *Nous pouvons acheter de la nourriture qui provient de partout dans le monde. Parfois, c'est si différent, nous ne savons même pas comment la manger ! Yvon n'est venu qu'une fois jusqu'à présent. Sur le port, ils ont un travail monstre. Il n'a pas le choix de faire des heures supplémentaires même s'il préférerait venir à l'Expo avec nous. Je n'ai plus du tout la tête à passer des entrevues ! Cet été à Montréal, tout se passe au présent. Je ne suis pas sérieuse, le tournage du film débute la semaine prochaine et je n'ai plus hâte du tout. Je suis même contente d'avoir un petit rôle pour me garder plus de liberté !*

Les deux premières représentations au théâtre se sont bien passées même si la salle n'était pas remplie comme cet hiver. L'offre de spectacles est très grande et apparemment, beaucoup d'étrangers présents à Montréal durant l'Expo ne comprennent pas le français.

Je vois souvent Mireille, nous avons des horaires semblables et nous allons ensemble à l'Expo après le travail. Et comme Yvon avant, elle assiste souvent aux représentations et elle connaît toute la troupe.

Il a fait très chaud dernièrement, nous faisons des escapades au chalet aussi souvent que possible. Même si j'aime la folie de la ville, plonger dans les eaux du lac demeure un plaisir inégalable. J'adore y passer la nuit. Au chalet, c'est le monde à l'envers. Je me lève la première et je plonge dans le lac pour me réveiller. Puis, je m'assois sur le bord du quai, les pieds dans l'eau et je ne bouge plus, j'observe, jusqu'au moment où Yvon vient me rejoindre en apportant du café. Finalement, ce n'est pas tant le monde à l'envers... c'est toujours Yvon qui prépare le café ! Les repas aussi.

J'ai découvert l'existence du Jardin botanique. C'est si beau. Mais c'est loin de chez moi. Tout près de l'allée des ormes dont je te parlais dans une autre lettre. C'est d'ailleurs en allant voir les ormes que j'ai découvert le jardin. Maintenant, ça me fait vraiment un long pèlerinage... Quand je vais là-bas, j'y passe la journée.

Je t'embrasse et j'espère que tous se portent bien à la maison,

Julie, xxx

Je remarque... plus Julie est contente, plus elle semble penser à nous autres. Comme si la famille était un poids sur ses épaules et que la vie devait lui paraître légère pour qu'elle arrive à nous supporter ! J'aime à la voir heureuse. Et je comprends de quoi elle parle avec l'Expo. Il y a eu une émission sur ça, à la télévision, y'a pas longtemps. Et comme elle, du temps où elle était petite, je l'ai vue chez Françoise. D'ailleurs, je vais retourner la voir, Françoise, et continuer à me faire raconter ma sœur. J'ai assez rêvassé asteure, je me sens prêt à en entendre plus.

J'ai fait comme la fois d'avant, je suis arrivé chez eux aux aurores en m'assurant comme y faut, avant d'entrer, de voir personne d'autre. Et je lui ai demandé de me reparler de Julie. C'est certain, j'aurais pu lui demander tout de suite si elle savait la raison de son départ. Mais, j'avais pas envie d'aller trop vite... Faut dire, j'ai rarement envie d'aller vite !

– Tu sé, André, quand me j'suis mariée, j'avais bien de la misère à aimer à vivre par ici. Jean-Marc, c'était un bon mari mais y'était toujours dépité pis moi, j'trouvais le monde autour encore plus triste à voir. Faut dire, la grosse majorité du monde savait ni lire ni écrire. Y passait le temps en jouant aux cartes, pis j'ai jamais aimé à jouer aux cartes... Si y'avait pas eu Julie, j'serais devenue aussi dépitée que Jean-Marc !

Françoise s'est mise à rire en disant ça, pis après, en continuant, son sourire est resté.

– Julie sortait des livres à la bibliothèque de son école pis a me les passait après. On en parlait ensemble. Moi, j'achetais des journaux pis des revues, et j'lui donnais après itou. On faisait toutes sortes d'échanges de même. Le dimanche, a venait m'aider à faire des confitures ou des tartes, ou des bonbons aux patates... et a retournait chez vous avec au moins la moitié de notre journée, des fois plus... Chez vous, faut dire, c'était la grosse misère, dans c'temps-là. Jamais aucune gâterie. Ton père sortait en pêche juste quand y faisait beau, la pluie le faisait trop souffrir... ça pouvait pas donner des gros profits! C'était ma façon de vous aider un peu pis surtout, c'était plaisant de passer du temps avec Julie. C'é elle qui m'a montré les bons spots pour cueillir les petites fraises, les pommes de pré en haut du cap, les bleuets dans les bois brûlés, les groseilles pas loin de la baie de Bassin. Ta mère en ramassait en masse, des p'tits fruits! A l'en cuisait un peu pour l'hiver, mais a faisait surtout des échanges. De la farine pour faire son pain, de la moulée pour les poules... une chance que ta mère était débrouillarde! L'été, a faisait le plus gros jardin du canton pis vers la fin de l'hiver, quand le monde commençait à manquer de réserves, a l'envoyait Julie faire le tour des maisons pour échanger des légumes contre de la viande salée ou autre chose. Ta mère aimait pas à aller dans les maisons ni à voir du monde. C'é Julie qui faisait toutes les commissions. Julie connaissait tout le monde. A faisait ses tournées avec ses légumes, un peu comme toi maintenant avec tes poissons... A t'aimait beaucoup, Julie. Du moment que t'es né, a t'avait toujours dans les bras. Pis même quand t'es devenu trop lourd pour elle, a continuait de t'amener, partout où a s'rendait...

Je me suis levé d'un coup et Françoise s'est arrêtée de parler aussi sec. Je lui ai dit que je devais partir, que j'avais oublié quelque chose d'important, qu'on continuerait une autre fois. Et je suis sorti mais c'était pas par souvenance d'une obligation... Entendre parler de Julie avec moi, j'y arrivais pas. Entendre que Julie m'avait aimé me rendait triste à mourir sans que je sache trop pourquoi. J'avais besoin de me retrouver tout fin seul.

Sur le bord de l'eau, le sable croûté marchait bien. Et la mer était plaisante à regarder avec ses morceaux de glace au bord qui bougeaient tranquillement dans l'eau épaisse. L'hiver, un grand calme te prend sur le bord de l'eau. Peut-être dû à l'absence des goélands et des autres oiseaux ? Les vagues sont silencieuses aussi. Je m'y sens bien en tout cas. J'ai réussi à penser à rien en particulier. Juste à regarder autour de moi et à écouter le silence.

Je suis revenu de ma marche en me disant que je devrais pas trop m'en faire avec des choses arrivées il y a quarante ans. Vouloir tout comprendre et tout savoir, donne rien. Je suis loin de démêler mes propres affaires... il faudrait pas que je me mêle d'essayer de tout comprendre des histoires des autres !

Le reste du mois de janvier a été beau. Pas trop frète, pas trop venteux. J'ai laissé passer les journées... Marcher sur la plage ou sur la grève, dépendamment du vent. Le soir, j'écoutais ma musique. À la longue, j'étais devenu content de savoir, pour l'amour de Julie. C'est bizarre, au début, tout ça m'avait rendu triste et là, j'étais comment dire... plus sûr de moi. Pis en même temps, pas sûr de moi du tout ! C'est dur en diable à expliquer... Comme je le disais, il y a bien des fois où je me comprends pas ! Je suis pas retourné voir Françoise du reste du mois. J'avais envie qu'y se passe rien pour un bout. Début février, un autre paquet est arrivé de la ville et je me suis dit que j'allais me contenter des lettres. Peut-être c'était le mélange de silence et de musique mis ensemble, mais je me sentais rempli d'un grand calme. S'il y avait moyen, j'avais envie de garder ce calme-là le plus longtemps possible. Ce qui fait que pour une escousse, juste les lettres allaient suffire. J'ai attendu après souper, j'ai bien bourré le poêle et j'ai mis la cassette. Encore une fois, la

Jeune m'avait mis de la musique. J'avais jamais entendu ça avant : *L'Heptade,* d'un groupe qui s'appelait Harmonium. Une musique plaisante à écouter, moins surprenante que du Mozart, plus proche du vrai monde, je dirais. En même temps... de la musique qui t'amène au loin. Elle est bonne, la Jeune, pour m'envoyer de la musique à mon goût. Je dois trouver un moyen de lui dire comment je suis content d'en recevoir...

Montréal, 15 juillet.

Bonjour, maman. J'ai l'impression une fois de plus que tout va beaucoup trop vite autour de moi. D'un autre côté, la vie est si belle, comment m'en plaindre ? Le tournage a débuté et j'adore cela. En fait, j'aime tout du cinéma, y jouer, regarder les autres jouer, la technique... vraiment, tout me passionne. Je connais chacune des personnes sur le tournage et ma passion doit être communicative, car les gens m'expliquent tout ce qu'ils font. J'ai délaissé l'Expo durant le jour. J'y vais encore parfois le soir, avec Mireille. Nous avons découvert un lieu vraiment agréable, derrière le pavillon de l'Allemagne : une brasserie. La bière est une spécialité de l'Allemagne et elle est servie dans de très grands verres directement d'un baril. Le goût est différent des bières d'ici, et contrairement aux tavernes, il y a plein de femmes qui viennent goûter à la bière. En plus, c'est très beau et c'est en plein air. Les tables sont installées sous de grandes toiles blanches. La brasserie est devenue notre lieu de rencontre pour les amis.

Au théâtre, l'assistance a augmenté et nous jouons presque toujours à guichets fermés. Les visiteurs français semblent s'être donné le mot ! Monsieur Dubé est venu nous voir à plusieurs reprises depuis l'hiver, c'est un ami de madame Larose. Et en fin de semaine dernière, après la représentation, il m'a proposé de jouer dans Au retour des oies blanches. *C'est un tout petit rôle, je vais remplacer une actrice enceinte qui va devoir cesser de jouer bientôt. J'ai déjà commencé à répéter avec madame Larose... C'est assez incroyable tout ce qui se passe dans ma vie! Marcel Dubé, c'est quand même l'homme de théâtre le plus important au Québec!*

Comme tu vois, je n'ai plus une minute à moi! C'est simple, je croise Yvon dans l'appartement! Et je n'ai plus le temps d'aller au chalet. De toute façon, lui aussi est débordé, il fait des heures supplémentaires à chaque soir et il travaille souvent la fin de semaine.

J'ai arrêté mon cours de danse pour le remplacer par un cours d'anglais. Je sais, c'est fou de prendre un cours avec toutes mes autres occupations, mais je veux continuer d'apprendre. Je me trouve encore bien ignorante comparé aux jeunes de mon âge! Et puis, les gens de partout dans le monde parlent presque toujours anglais et j'ai envie de pouvoir les comprendre. L'anglais me sera utile au cinéma aussi. Mon cours se donne le matin et j'ai dû laisser tomber une journée de travail au Café. En réalité, je me rends compte que le fait de prendre un cours me fait gagner un peu de temps libre! Je trouve difficile d'être attentive si tôt le matin mais ensuite, s'il n'y a pas de tournage, j'ai le reste de la journée pour moi.

Je marche pour me rendre à mes différentes activités. Comme j'ai beaucoup de difficulté avec la chaleur, j'emprunte les petites rues et je reste sous le couvert des arbres. Cela me prend plus de temps et c'est tant mieux! Presqu'à chaque jour, je vais à mon petit parc, son ombrage et la présence de mon orme me procurent le calme dont j'ai besoin. Les autres parcs sont trop chauds et ils sont rendus trop loin pour la vie de fou que je mène à présent. Une fois, la chaleur était vraiment insupportable. Alors, après mon cours d'anglais, j'ai pris l'autobus pour me rendre au Jardin botanique et j'ai passé l'après-midi au complet à l'ombre. Une journée exceptionnelle,

à ne rien faire. Lire et à fainéanter sous les arbres... Quel
bonheur !

Je t'embrasse, prends soin de toi,

Julie, xxx

Étrange d'entendre toute cette activité-là, en comparai-
son du calme qui règne ici. Dans le canton, du temps, on en
a à revendre ! Entendre parler d'été, de cinéma, de théâtre...
Et devant moi, une grande étendue blanche, des bouts
d'herbes pris en glace et pas un son, pas âme qui vive au
dehors. Faut dire, c'est quasiment la nuit et il fait un frète
bleu... Mais à ce temps-ci de l'année, y'a pas plus d'activité
en plein jour, même au grand soleil !

Au cours de la semaine, je suis allé à Cap-aux-Meules
avec Pierre à Charles. Pendant qu'il était au magasin à musique, j'ai traversé à la papeterie. C'est la porte en face mais,
pareil, je lui ai bien fait promettre de revenir m'y chercher
quand il aurait fini ! J'ai acheté des enveloppes avec déjà des
timbres dessus. Comme a dit la vendeuse, c'est bien pratique, pas besoin d'aller au bureau de poste, juste à mettre
l'enveloppe dans une boîte aux lettres. Comme ça, la Josée
aura pas l'occasion de me poser des questions. Par ici, dès
qu'il y a la moindre petite chose un peu différente de l'accoutumée, les jacassages commencent. Pis de devoir trouver
des déblâmes pour tout devient fatiguant, à la longue. Moins
les gens en savent, mieux ça vaut !

Arrivé à la maison, je me suis pratiqué à dessiner l'adresse
de la Jeune. J'ai copié en m'appliquant, tant que les formes
étaient pas pareilles en toute. Je savais comment reconnaître l'adresse de la Jeune de la mienne, encore une affaire
que j'avais appris en traînant dans les maisons. Quand mon
travail m'a semblé assez bon, j'ai copié l'adresse sur une de
mes enveloppes. Après, j'ai entrepris de lui enregistrer un

message. J'aurais aimé lui mettre les bruits du vent et de la mer mais il faisait bien trop frète pour amener l'enregistreuse au dehors. Je me suis contenté de lui parler. Au début, mon idée était juste de la remercier pour la musique et lui dire comment j'aimais qu'elle m'en envoie. Mais je trouvais la cassette vide et je me suis mis à y raconter le canton. Pour lui donner des nouvelles et pour me désennuyer, je crois bien. Finalement, deux jours plus tard, petit bout par petit bout, j'avais rempli la cassette de parlures ! J'ai hésité avant de mettre la cassette dans l'enveloppe, je craignais de passer pour fou avec mes palabres. En fin de compte, je me suis dit, elle le sait bien que je suis fou et elle est pas obligée de l'écouter, la cassette ! J'ai mis la cassette dans l'enveloppe et l'enveloppe dans la boîte à malle. Ma semaine avait été bien remplie.

Autour des Îles, les glaces commencent à épaissir. Je continue de prendre de grandes marches à chaque jour, mais il faut être gréé en conséquence ! Dans pas long, je pourrai marcher sur les glaces au large. Pour tout de suite, je me contente de traverser la baie en faisant attention où je pose le pied. C'est rendu beau à regarder. Les soirées commencent de bonne heure par exemple, c'est bien d'adon d'avoir mes lettres et ma musique.

Montréal, 7 août.

Bonjour, maman. J'ai débuté dans la pièce de Marcel Dubé la semaine dernière. L'ambiance n'est pas du tout la même qu'avec mon autre troupe et je trouve stimulant de jouer avec d'autres comédiens. C'est un univers complètement différent et tout le monde est très gentil avec moi. Heureusement, mon rôle est assez facile, car c'est impressionnant de se retrouver sur scène dans une pièce qui roule depuis longtemps et avec des comédiens tous très professionnels. Pour ne pas se faire de concurrence, la pièce de Marcel Dubé est présentée le jeudi et le samedi et fait relâche le vendredi, c'est ainsi que je peux jouer dans les deux.

Souvent, après les représentations, je sors avec des amis. Mireille est toujours là et nous finissons les soirées sur le site de l'Expo, à la brasserie du Pavillon de l'Allemagne. Il s'est d'ailleurs passé un fait très cocasse la dernière fois. Comme il restait très peu de tables libres, j'ai demandé à une dame si nous pouvions nous asseoir avec elle. C'était une dame très élégante, elle m'a répondu en anglais et j'étais fière de comprendre ! Elle a refusé, elle a dit qu'elle attendait quelqu'un. Et nous avons finalement trouvé une table libre pas très loin. Quand nos amis sont venus nous rejoindre, ils nous ont fait remarquer que Marlène Dietrich était assise à côté. Elle venait donner un spectacle à l'Expo. Et Marlène Dietrich, tu devines, c'était la dame à laquelle j'avais demandé une place ! Cette histoire te permet sans doute de comprendre l'atmosphère folle qui règne à Montréal présentement !

Je me couche toujours très tard et mes nuits sont courtes. Je dois être au Café avant onze heures maintenant. Je travaille seulement trois jours et je termine à deux heures. En plus, je dois me faire remplacer souvent. Il m'arrive régulièrement de travailler uniquement deux midis durant la semaine !

Je suis de plus en plus mordue de cinéma. Dès qu'il y a une journée de tournage, j'essaie de me faire remplacer au Café pour y être, même si je n'ai rien à y faire. Mon rôle était très petit, et les prises sont déjà faites, mais j'adore observer le tournage. Je suis tellement présente sur le plateau que je suis devenue amie avec toute l'équipe. Les gens m'expliquent leur travail et j'aide à chaque fois qu'il y a un pépin et il y en a souvent, pratiquement chaque jour ! L'autre fois, c'était l'assistant de l'éclairagiste qui n'est pas venu travailler. Alors, c'est moi qui étais en charge d'aider à installer le filage et de déplacer les projecteurs. J'aime bien quand il y a un pépin, j'apprends ! Et comme tu sais, je peux être très utile avec ma mémoire d'éléphant, je n'oublie jamais rien de ce qui m'a été expliqué ! Claude devient parfois d'une humeur massacrante.

À la fin de la journée, tout le monde se retrouvent pour prendre une bière, discuter et rire des accrocs de la journée de tournage. Malheureusement, la plupart du temps je dois me sauver vite pour être à temps au théâtre !

Au début de la semaine dernière, Yvon a dû prendre deux jours de congé. Il était tellement fatigué, les gars avaient peur qu'il se blesse au travail. Je me suis absentée du Café et nous sommes partis pour le chalet. En plus, c'est très bien tombé, c'était des jours sans tournage et il faisait un temps de canicule. Nager dans le lac nous transportait au paradis ! Le soir, nous mangions sur le quai, sous les étoiles. C'est moi qui cuisinais (je m'améliore...) et Yvon s'est beaucoup reposé, il en avait grand besoin. Le chalet, c'est magique pour le repos, et on dort si bien dans la fraîcheur, à l'ombre des grands arbres qui nous préservent de la chaleur.

Je t'embrasse, à bientôt,

Julie, xxx

Il me semble la voir, toujours à rire et à rendre service. Le monde devait l'aimer en pas pour rire. Pas si souvent on rencontre du monde à rendre service juste pour le plaisir, sans penser à l'argent ou à tirer avantage. J'en suis certain, Julie, c'est une bonne personne, elle pense juste à apprendre et à s'amuser, elle pense pas à se placer les pieds, comme on dit. J'ai encore plus envie de la connaître. Quoique, j'aurais un petit peu peur itou. Moi, je me trouve pas bien intéressant à connaître... Si Julie s'est jamais intéressée à moi après son départ, je devais pas compter trop, trop, même si Françoise prétend que quand j'étais petit enfant, Julie m'aimait beaucoup. En tout cas, il me faut arrêter de penser de même, avec des idées noires dans la tête. Je dois apprendre à juste écouter les lettres de Julie sans rien rajouter d'autre rapport à moi. Je le vois bien, j'ai pas encore une bonne tête comme je voudrais. Je retournerai pas voir Françoise encore cette semaine...

La pêche à l'anguille

Je vais plutôt aller sur les glaces. Les glaces me font du bien. Elles me calment. Pierre à Charles dit qu'il va y avoir du grabuge cette année encore, rapport aux loups-marins. Apparence, ils ont encore trouvé une autre vedette pour venir pleurer sur le dos des blanchons. Même si les blanchons sont plus chassés depuis un mautadit grand bout ! Pareil, je me mets pas dans tous mes états. Il y a long-temps que j'ai compris... Ces affaires-là servent à certains pour avoir la conscience tranquille. Et il y a rien à faire contre. J'imagine, c'est pas du mauvais monde pour la plu-part. Pis le bien et le mal, c'est pas toujours aisé à dépar-tager ! En tout cas, j'ai des grandes pensées des fois en marchant sur les glaces. Des pensées calmes par exemple, pas fâchées pour une cenne ! Et par ici, du côté du Havre, ils viennent jamais faire de chicanes. Les glaces peuvent rester en paix, avec leurs belles couleurs.

Cette semaine, je vais commencer à pêcher l'anguille sur la glace. Cette pêche-là va m'obliger à retourner dans les maisons pour vendre et me forcer à voir un peu de monde par la même occasion. Je me trouve pas mal sauvage, dans ce temps ici. Être tout seul a du bon, mais ça a du mauvais itou... Il faut pas faire durer trop longtemps sinon, après, il devient trop difficile d'en sortir. En plus, la pêche à l'an-guille sur la glace, c'est plaisant à faire. Ma pêche favorite, je crois bien. Et le goût de l'anguille est sacrément bon, comparable à rien d'autre.

Montréal, 29 août.

Bonjour, maman. Demain sera mon dernier midi de travail au Café. J'ai un peu peur. Depuis mon arrivée à Montréal, le Café est ma sécurité. Mais ma vie court du matin au soir ! Et le Café est à côté, j'espère y passer souvent. Quand même, j'ai un peu le cafard.

Le tournage est terminé. Vers la fin, j'étais un peu devenue l'assistante de Claude. Il me demandait mon avis souvent, et il m'a dit que je ferais partie de son prochain film, même s'il ne sait pas quand il aura lieu ! La bonne nouvelle, et la raison aussi pour laquelle je devais quitter le Café, c'est que je vais suivre le groupe de techniciens dans un autre tournage. C'est Andrew, le chef technicien, qui me l'a proposé. Depuis que je me suis mise à l'apprentissage de l'anglais, Andrew me fait pratiquer, il m'apprend les termes du métier. C'est lui qui a négocié mon embauche. Je m'amuse, je ris tout le temps, j'apprends plein de choses nouvelles et en plus, je vais être payée pour tout ça !

Au théâtre, notre pièce se termine la semaine prochaine. La pièce de Marcel Dubé se poursuit cet automne et il y aura une tournée ensuite, mais je ne crois pas y participer. À l'Expo, j'ai fais une nouvelle découverte au pavillon de la Suisse. J'ai goûté à leur spécialité : le chocolat Toblerone. Ils servent un quignon de pain et un gros morceau de chocolat dans une petite boîte à emporter. Le chocolat, c'est comme pour la bière, il ne goûte pas du tout la même chose qu'ici ! Du chocolat avec du pain... c'est vraiment spécial, et c'est très bon. Même le pain est différent, c'est de la baguette, ça goûte un peu à ton pain, mais avec une croûte plus dure.

À bientôt, je t'embrasse,

Julie, xxx

Je suis bien chanceux avec la température. Parfait pour la pêche à l'anguille. Pas trop chaud, pas trop froid, pas trop venteux itou. Je peux rester longtemps sur la glace à sonder mes trous, sans me faire fouetter le visage comme il arrive souvent. Je passe de bien belles journées. Pis pour une fois, c'est le monde qui vient me voir. Ils prennent des marches et ils viennent me parler. J'ai même pas la peine de me rendre aux maisons. C'est rendu, ils arrivent sur les glaces avec leurs chaudières[16] et ils achètent leurs anguilles directement sur la baie.

La semaine a coulé doucement. Chaque journée pareille à la veille. Et dimanche est arrivé. Faut dire, pêcher l'anguille, c'est quasiment comme une prière à l'église, dans la lumière des vitraux. Toujours les mêmes mouvements, sans pensées. De la même manière que faisaient les ancêtres, il y a peut-être des mille ans de ça. J'aime en pas pour rire à pêcher sur les glaces et quand on aime ce qu'on fait, y'a rien de mieux. Le temps passe sans laisser sa trace.

Montréal, 28 septembre.

Bonjour, maman. Les couleurs de l'automne sont arrivées. Les nuits sont devenues plus fraîches, les jours aussi, mais le rythme de ma vie n'a pas ralenti. Yvon est moins occupé cependant, et à chaque fois que c'est possible, nous partons pour les Cantons de l'Est. Il a changé d'horaire, il travaille maintenant le samedi et il a le lundi de congé. Nous pouvons ainsi partir le dimanche et revenir le lundi soir. Parfois, nous ne revenons que le mardi matin et il va directement travailler après m'avoir déposée à l'appartement. À la campagne, nous prenons de longues marches sur les petits chemins de terre en nous amusant à piétiner les feuilles mortes. La dernière fois,

---

16. Chaudières : le mot est utilisé pour désigner des seaux

*nous avons cueilli des pommes, et j'en ai rapporté un minot
en ville, pour le tournage. Dès que mes yeux se posaient sur la
caisse, je me retrouvais à la campagne ! Je revoyais son calme,
les arbres, la rivière, le lac et les hirondelles. En ville, la nature
sauvage me manque parfois.*

*Heureusement que je m'étais mise à l'apprentissage de l'an-
glais ! C'est une équipe américaine qui tourne à Montréal ! Je
m'améliore vite, déjà je comprends la plupart des choses. Parler est plus difficile mais je pratique beaucoup. Souvent, après
les tournages, je sors avec le groupe de la technique et je parle
tout le temps en anglais avec Andrew. Yvon n'aime pas ces
sorties, avec juste des gars.*

*Je vais au Café plusieurs matins par semaine. J'y vais même
plus souvent que lorsque j'y travaillais ! J'y déjeune tard, dans
la période creuse avant le dîner et je me fais raconter tous les
potins du quartier.*

Je joue au théâtre ce soir. Je t'embrasse,

Julie, xxx

Pour sûr, ça pouvait pas durer ! Le vent s'est mis de la
partie et la pêche est devenue plus roffe[17]. Personne maintenant pour venir me faire la jasette sur les glaces. J'ai dû
reprendre le tour des maisons à la fin du jour, pour vendre
ma pêche.

La boulangerie est restée ouverte et malgré ça, Marie-
Louise va pas si pire… Elle a décidé de remettre en état des
vieilles tables et des vieilles chaises et l'été prochain, ses
clients pourront s'asseoir à boire un café tout en mangeant
une douceur. De même, elle espère les garder plus longtemps à jaser, j'imagine ! Le reste du temps, elle lit. Pour sûr,
elle est pas bien occupée avec sa boulange, juste pour le

---

17. *Roffe* : difficile, de l'anglais « *rough* ».

monde de la place ! Des fois, je la vois dans le gros frète, à marcher vent debout[18] sur la baie. Elle se plaint pas. Elle passe pas son temps à pleurer sur son sort. Ça veut pas dire qu'elle pense pas à la ville... Il y a des fois où l'ennui la travaille plus que d'autres. Ces jours-là, elle me raconte la ville. Elle me conte comment c'était, du temps qu'elle y vivait. Elle a habité à Montréal une bonne trentaine d'années. Ce qu'elle m'a conté tout à l'heure, c'était vraiment étrange. Je m'y attendais pas. La première fois qu'elle m'en parlait aussi ! Elle doit vraiment s'ennuyer, Marie-Louise, pour me prendre comme auditoire de même !

– J'sé pas si j'te l'ai déjà dit, André ? Moi, la première fois où j'suis allée en ville, c'était pour l'Expo, en 67. Un voyage organisé avec l'école polyvalente. Pis vraiment, j'avais eu le coup d'foudre ! On s'promenait d'un pavillon à l'autre dans des petits trains... on mangeait toutes sortes de choses nouvelles pis c'était pas croyable tout ce que y'avait à voir. Une semaine. On avait pris le métro. On avait visité le Jardin botanique, des musées. Moi, j'avais pris ma décision. L'année d'après, sitôt l'école finie, j'suis partie vivre à Montréal !

J'ai dit qu'elle me parlait, mais pour dire vrai, Marie-Louise semblait parler surtout pour elle. Comme si elle revisitait l'Expo... J'en reviens pas de la coïncidence ! Dire que deux filles du même canton, habitant à quatre, cinq maisons de distance, étaient à l'Expo en même temps... Un canton perdu comme ici ! Pis en plus, moi, j'entends Julie qui parle justement de l'Expo dans ses lettres ! Je lui ai demandé si elle avait vu Julie là-bas.

– Mais non, André, j'lai pas vue, t'es-tu fou ? Y'avait du monde là que c'é pas pensable !

En tout cas, même si je suis fou, moi, je trouve ça spécial pareil...

---

18. Marcher vent debout : marcher face au vent.

Hier, le temps était bon pour pêcher, pas une haleine de vent. Mais j'ai abandonné la pêche et j'ai marché sur les glaces, vers la mer d'en-dehors. Pierre à Charles avait vu des loups-marins avec ses longues-vues. J'avais envie de regarder s'il y avait moyen de les approcher. J'ai vu la mouvée, ils étaient pas bien loin, mais je pouvais pas me rendre à eux. Il y avait une saignée d'eau libre qui nous séparait et j'avais pas d'embarcation au proche. Une sacrée belle marche pareil. C'est rare, pas de vent de même sur les Îles. J'entendais les loups-marins comme s'ils étaient juste à côté. Même leur odeur arrivait jusqu'à moi. J'ai été parti une bonne escousse et quand je suis revenu, Françoise m'a fait signe d'entrer. Elle avait mon paquet que la Josée lui avait laissé. Je me suis pas donné la chance de réfléchir trop. J'en ai profité pour dire à Françoise que je viendrais la voir le lendemain matin, si ça lui adonnait. Les glaces m'avaient donné du courage, faut croire !

En entrant dans la maison, j'ai mis la cassette. Et là, j'ai entendu exactement les dires que j'espérais. La Jeune avait beaucoup aimé mes parlures et ça lui ferait un grand plaisir si je voulais continuer à lui envoyer des cassettes. J'étais fier comme un coq ! Depuis le départ de ma cassette, j'attendais juste une demande de la Jeune pour lui en faire une autre. Je sais pas... je trouve plaisant de parler sans avoir de regards sur moi. Sans personne pour changer mes mots en les accordant avec ma laideur ! Bien plaisant aussi de dire les petites affaires de la vie et de parler de la nature autour. Et la Jeune, contrairement à bien du monde, elle aimait à entendre parler de ces choses-là. Maintenant, j'avais ma réponse. Des fois, de raconter les choses peut les rendre plus belles. Peut-être plus faciles à comprendre itou !

Comme de raison, elle avait mis de la musique. Pas supportable tant c'était beau. Il m'a fallu arrêter la cassette et me calmer avant de pouvoir continuer... J'ai changé ma chaise de place. Le soleil sans vent d'aujourd'hui avait fait fondre la glace sur le châssis donnant au large, c'est là où je me suis installé. L'*Ave Maria* de Caccini, la Jeune disait. À l'église, j'en avais déjà entendus, des *Ave Maria*. Bien des fois, y'a pas de chorale et le prêtre a pas le choix, il met des cassettes. Pour dire vrai, je trouve souvent ça meilleur que la chorale, même s'il y a toutes sortes de grichages[19], en plus de la musique. Sauf que j'ai jamais rien entendu à la messe se rapprochant même un peu de cette musique-là. Et du trouble provoqué dans moi !

C'est étrange pareil... Selon la Jeune, monsieur Caccini, y vivait il y a un sacré long bout. Du temps où les Îles avaient à peine commencé à être habitées. Il vivait dans les vieux pays, en Italie. Pourtant, moi, là, devant le châssis, j'écoute sa musique et elle me met à l'envers. Comme si la musique jouait en vrai, juste au devant de moi. Jamais le large m'a semblé aussi beau à regarder. Le bleu du ciel se reflète sur la petite couche de neige... Et le soleil se couche en faisant briller les brins d'herbes glacés.

C'est peut-être pour ça que j'aime autant la musique. Tu ouvres tes oreilles pour l'écouter, et la musique se charge de t'ouvrir les yeux. Plus grand que tu les avais jamais ouverts.

Le matin en me levant, j'ai remis l'*Ave Maria*. Après, j'ai traversé chez Françoise. J'ai pas eu besoin de rien dire. Françoise m'a servi du thé et elle s'est mise tout de suite à parler.

– Tu sais, André, j'y ai pensé depuis ta dernière visite pis j'me suis dit que ça devait te faire drôle que ta sœur soit jamais plus r'venue pour te voir. J'la sais pas, moi, la raison qui fait que Julie est partie pour jamais r'venir... mais tout c'que j'sais, c'é que c'é pas à cause de ton père. Dans l'canton, c'é c'que tout le monde prétendait mais c'était juste des mauvaises langues ! Julie, a s'entendait bien avec ton

---

19. Grichages : bruits désagréables attribuables à la mauvaise qualité du son (de grincer).

père. Non, pour sûr, c'était pas ça la raison... Non, à vrai dire, moi, j'pense que c'é plus rapport à toi qu'elle est partie... Ça la mettait dans tous ses états de voir les autres enfants rire de toi quand t'es devenu en âge d'aller à l'école. Elle qu'était toujours de bonne humeur avant... a riait pu pas en tout'. A voulait que tes parents te retirent de l'école. A voulait t'apprendre à lire pis à écrire elle tout seule. Mais tes parents, y disaient que t'étais aussi intelligent qu'un autre pis que tu devais aller à l'école... J'pense qu'y voyaient pas comment les autres enfants étaient méchants avec toi, pis comment pour Julie... c'était pas supportable !

Françoise s'est levée. Elle a semblé regarder dehors durant un bout pis ensuite, elle a continué, mais en restant debout à coté du châssis.

– Après un bout', a arrivait plus à rien te montrer non plus. Parce que toi, t'étais devenu comme un p'tit animal... T'avais peur de tout'. Tu passais ton temps caché pour pas recevoir de coups. Même Julie avait toute la misère du monde à t'approcher... Pour sûr, tes parents ont fini par te r'tirer de l'école mais... le mal était fait ! T'étais devenu un enfant différent des autres. Ça t'a pris bien du temps à en r'venir. Pour sûr, t'as fini par passer au travers, en seulement, Julie était plus là depuis une bonne escousse...

Encore là, Françoise s'est arrêtée de parler et elle a regardé dehors. Pis elle a finalement lâché le châssis pour revenir s'asseoir en face de moi.

– Quand Julie est partie, j'ai pensé que c'était pour elle comme pour plusieurs... Elle s'en allait travailler en ville pis a reviendrait souvent, l'été, en visite. Un jour avec un amoureux pis plus tard avec ses enfants... Mais comme tu sais, c'é pas de même que ça s'est trimé. J'm'en suis toujours voulu de pas avoir vu ça v'nir. L'année avant son départ, moi j'étais enceinte, faut dire. J'étais dans un monde à part pis elle, a venait quasiment plus me visiter. J'voyais bien qu'elle était changée mais... j'ai pas cherché assez à comprendre...

Quand je repense à Julie, j'essaie toujours de pas me rappeler c'te période-là. Ça m'fait honte... J'pense qu'a devait avoir besoin d'aide pis moi, j'ai pas été d'un grand secours...

Là, Françoise s'est arrêtée de parler pour de bon. Elle avait l'air triste. Je lui ai dit mon opinion. Pas seulement pour la rassurer. Rapport aux lettres, je savais bien que j'avais raison.

– Tu sais, Françoise, p't-être que pour Julie, partir, c'était la meilleure des choses à faire. Des fois, on a des affaires à régler dans not'tête pis les autres peuvent pas y faire grand-chose... J'suis sûr qu'en ville, elle a été heureuse.

Encore, Françoise m'a regardé comme si c'était la première fois qu'elle me voyait. Je l'ai remerciée de ses paroles et je lui ai dit qu'il était temps pour moi de partir commencer ma journée.

C'est pas ce que j'ai fait... Arrivé chez nous, j'ai pris l'enregistreuse avec une cassette neuve et je me suis mis à dire à la Jeune ce que Françoise m'avait conté. J'y comprends rien, mais je me sentais pas triste, ce coup-ci. J'étais content d'en savoir plus. C'était peut-être pas qu'elle ne m'aimait plus, la raison pourquoi elle parlait pas de moi. Peut-être, au contraire, elle m'aimait trop ! Et ça, c'est plus plaisant à penser, me semble ! J'avais envie de retourner voir Françoise. Qu'elle me raconte Julie encore et encore. J'avais plus peur. Françoise savait pas la vraie raison du départ de Julie. Elle pouvait seulement m'aider à mieux connaître ma sœur.

Montréal, 20 octobre.

Bonjour, maman, j'espère que tout va bien à la maison. Moi, le rythme de ma vie a un peu ralenti et j'en suis heureuse. L'Expo est terminée, les enfants sont retournés en classe et les étrangers chez eux. Et je ne sors plus le soir avec les gars de la technique depuis que les Américains viennent eux aussi. Ils passent leur temps à faire des blagues en slang, je ne les comprends pas, mais je me doute que j'en fais les frais ! Je passe plus de temps avec Yvon. Il a décidé de prendre des cours d'anglais lui aussi et une fois par semaine, nous allons écouter un film en version originale. Il dit que c'est obligatoire pour progresser dans son travail. C'est surtout pour passer plus de temps avec moi, je crois. Mais c'est vrai aussi que de parler anglais à Montréal est très utile.

Avec la fin de l'Expo, le travail a diminué dans le port et nous partons souvent pour les Cantons de l'Est. La fin de semaine dernière, nous avons monté le mont Sutton et cette fin de semaine-ci, ce sera le mont Orford. Tu sais, toutes ces couleurs sont vraiment incroyables. Je n'arriverais pas à bien te décrire comment c'est beau, il faut le voir. Déjà, être en dessous de ces arbres gigantesques est si impressionnant. Et puis, il y a l'odeur... Une odeur très forte et bien différente de toutes celles que j'ai connues. Le soir, après les marches en montagne, je ferme les yeux et je vois ces couleurs partout, dans le ciel, sur le sol. Et je sens l'odeur des feuilles tombées mélangée à l'odeur de la terre et à celle des fougères.

Nous sommes dans la dernière semaine de tournage. Ensuite, il y aura une pause jusqu'à la fin du mois puis un autre tournage commence. Encore en anglais, mais avec une équipe canadienne, cette fois. Claude m'a contactée pour me dire de me tenir prête pour novembre. Il est en attente d'une subvention et, si tout fonctionne, il y aura un bon rôle pour moi. J'ai hâte d'en savoir plus !

Je te disais que les étrangers sont retournés chez eux après l'Expo, mais il reste encore des visiteurs à Montréal. Et plusieurs spectacles sont toujours présentés. Il y en avait tant durant l'Expo, il était impossible de tout voir, et j'étais trop occupée aussi, alors là, je me reprends. Cet été, j'ai vu la troupe de Maurice Béjard à la Place des Arts et cela m'a donné la *piqûre de la danse, en plus du théâtre et du cinéma. Uniquement pour regarder, ne t'inquiète pas!*

Je pense à vous tous et j'espère que vous allez bien. Je t'embrasse,

Julie, xxx

Le temps est encore au beau. Je suis pas retourné en pêche de la semaine pareil. Mon frigidaire est plein et des fois, faut prendre des pauses pour donner envie au monde. Sinon, ils font comme si tes affaires les intéressaient pas et tu peux pas avoir un prix ayant de l'allure. Je me fais désirer... comme dit Marie-Louise! Pis ça donne un répit aux anguilles itou! J'ai passé la semaine à jongler. À me promener sur les glaces. J'ai vu des loups-marins de proche et en quantité. Le soir, je racontais mes journées à la Jeune en essayant de pas trop en mettre pour pas remplir ma cassette trop vite. J'ai pas réussi... j'suis arrivé au bout de ma cassette avant d'aboutir au bout de la semaine. Et je suis retourné voir Françoise pour l'entendre me parler de Julie. Cette fois-ci, j'avais pas peur. J'aurais peut-être dû! Après m'avoir servi un thé, Françoise s'est mise à raconter:

– J'ai jonglé à Julie toute la semaine pis y'a quèque chose qui m'est revenu en mémoire. Tu sais, tes parents, y t'ont pas laissé à l'école longtemps. Peut-être une année et demie, pas plus. Mais pour sûr... c'était déjà trop! Toujours est-y que Julie continuait à t'amener avec elle partout où elle allait, même si c'était rendu dur par rapport que tu voulais pu suivre en tout'. Pis là, tout d'un coup, ça s'est arrêté. Julie, a s'occupait plus de toi! J'dirais peut-être une couple de mois avant qu'elle parte... Y'avait dû se passer quèque chose! J'la voyais filer sur le chemin, toujours toute seule. Même Louis se tenait plus avec elle! C'é là itou qu'elle a arrêté de venir me faire des visites. Si par adon j'la rencontrais, pis que j'lui demandais de tes nouvelles, a devenait toute drôle pis a répondait pas ou bien, a répondait à côté. Ça me tracassait, j'comprenais pas c'qui était survenu... J'ai questionné les voisins sans trouver pis tu vois, avec le temps, c't'histoire-là m'est sortie d'la tête. Avec le temps, j'ai fini par oublier. Tu vois, j'sais toujours pas c'qui s'est passé mais j'suis pas mal sûre que la raison de son départ doit être là... J'la revois, le visage fermé dur, pis j'me dis qu'a était tourmentée, la Julie. C'était plus la même personne, tu vois ! Y'avait dû arriver quèque chose de grave ! Pis elle, a se morfondait avec ça... Sûrement que partir, c'était la meilleure solution, comme tu disais l'aut' fois...

Là, Françoise est partie à jongler et moi aussi, j'ai fait pareil. C'est Pierre à Charles en entrant qui nous a sortis de nos nuages.

Je suis peut-être sorti des nuages en sortant de chez Françoise mais j'ai pas arrêté de jongler pour autant. J'avais de la misère à voir la même personne dans les souvenirs de Françoise et dans les lettres. J'étais certain, par exemple, autant des dires de Françoise que des lettres. Faut dire, les lettres du début étaient pas comme celles d'asteure ! Je comprends mieux pourquoi Julie parlait jamais de moi. Peut-être elle m'aimait encore, je sais pas trop... elle devait avoir fait comme une cassure dans sa tête, pour pas être trop triste... Ça reste mystérieux. Pareil, j'ai plus trop peur asteure. Je pense que Julie m'aimait, j'y crois et c'est déjà assez.

Montréal, 23 novembre.

Bonjour, maman. J'attendais d'en être certaine avant de t'écrire, Claude a obtenu son financement et je vais jouer dans son film. Je vais jouer un petit rôle mais surtout, je vais être son assistante ! Je te l'écris et je n'y crois pas encore. Je n'en reviens pas de ma chance. Les scènes extérieures se déroulent dans le Grand Nord et il faudra attendre le printemps pour les tourner. De toute façon, l'argent ne sera disponible qu'à partir d'avril. J'ai prévenu monsieur Dubé que je ne suivrai pas la troupe en tournée. Mais Monsieur Dubé termine présentement l'écriture d'une autre pièce et, apparemment, il y a un rôle pour moi ! Les répétitions devraient débuter en janvier. Comme sa troupe habituelle sera en tournée, il va travailler avec des comédiens différents, cette fois-ci.

Je vois souvent Mireille, elle est devenue très bonne en peinture et elle a maintenant un atelier avec d'autres artistes. Les après-midi, je vais parfois la visiter et elle m'amène voir des expositions. J'aime beaucoup ces sorties. Mireille connaît tout le monde et elle est si passionnée que c'est passionnant de l'écouter.

Les feuilles des arbres sont maintenant toutes sur le sol, et les couleurs ont disparu. Yvon a hâte que le lac gèle pour patiner avec moi, la nuit sous les étoiles, et pour jouer au hockey, le jour. Moi, comme tu sais, j'ai peur de marcher sur les glaces, alors patiner sur un lac ! Mais bon, il paraît qu'ici il n'y a aucun danger. Yvon va au lac depuis qu'il est tout petit et il connaît bien où passent les courants. Cette semaine, nous avons magasiné des patins, il veut que je sois prête dès que le lac sera gelé ! Ce ne sera pas pour tout de suite, l'hiver se fait attendre, cette année... il pleut beaucoup plus qu'il ne neige. Novembre est humide et gris.

Dernièrement, comme le temps n'est pas propice pour les promenades à la campagne, nous préférons rester en ville voir des spectacles et sortir avec les amis. Nous allons de plus en plus souvent écouter des films et voir des pièces de théâtre en anglais. Yvon m'impressionne, il pratique beaucoup et il prend ses études vraiment au sérieux. Je crois aussi qu'il est naturellement plus doué que moi. Il faut dire qu'à Montréal, on entend

pas mal plus souvent parler anglais qu'aux Îles ! Andrew nous
a invités à souper chez lui. Il a une femme et deux petites filles
adorables, nous étions capables de discuter et de tout com-
prendre, même si nous étions épuisés à la fin de la soirée !
  Le nouveau tournage a commencé. Les Canadiens me
semblent plus sympathiques que les Américains, moins mo-
queurs en tout cas, ou alors, c'est mon anglais qui est meilleur !
  Ce soir, nous allons voir Bonnie and Clyde *au cinéma.*
J'espère qu'il ne pleut pas autant aux Îles qu'ici et que papa
ne souffre pas trop de l'humidité.
  Je t'embrasse,

  Julie, xxx

Étrange d'entendre ma propre sœur dire qu'elle a peur
de marcher sur les glaces tandis que moi, je peux y passer
mes journées à pêcher. Faut dire, j'ai toujours tendance à
croire les gens des Îles sans aucune peur de l'eau... Pourtant,
il y en a une sacrée trâlée qu'en ont une peur bleue. Quand
on y pense un brin... si tu passes ton enfance à entendre
parler de catastrophes survenues en mer, c'est peut-être
normal que la mer puisse te faire peur après. D'un autre
côté, si tu passes ton temps sur l'eau et que t'en as peur...
c'est pas un cadeau !
  Pierre à Charles m'a demandé des anguilles pour des
amis à lui, du monde de Bassin. Ils attendent de la visite et
ils veulent faire un repas d'anguilles. Entre-temps, mon
frigidaire s'était vidé. J'ai dû retourner en pêche et, tant
qu'à y être, j'y ai passé la semaine et j'ai repris mes tournées.
Pierre à Charles voulait m'amener au Cap-aux-Meules
aussi, pour me magasiner des cassettes. Il y avait une grosse
vente au magasin de musique, mais j'ai refusé son offre.
Avec la musique, c'est comme avec le reste, faut pas aller

trop vite. Et j'aime à laisser la Jeune choisir pour moi. J'aime à découvrir des musiques en me fiant à ses goûts. Jusqu'asteure, j'ai pas été déçu, loin de là !

Vers la fin de la semaine, je suis retourné voir Françoise. Comme de coutume, elle m'a servi du thé pis elle s'est mise à me conter Julie.

– J'ai bien souvent pensé à Julie depuis l'temps ! Y'a quèque chose que je dois t'conter... je sais pas trop pourquoi j'te l'ai pas dit encore ! J'suis vieille. Des fois, j'en perds des boutes ! La vieillesse... toujours une bonne déblâme pour les oublis ! En tout cas... ce que j'avais oublié d'te dire, c'é que des nouvelles de Julie, j'en ai eues après son départ. Des lettres qu'elle écrivait à ta mère... J'vais t'expliquer. Mais y faut que tu saches... même avec les lettres, j'ai jamais rien su d'la raison qu'a poussé Julie à partir ! Souvent, l'été après que Julie soit partie, en allant cueillir des p'tits fruits, j'me rappelais nos confitures pis nos tartes qu'on faisait ensemble. Pis à l'automne, après avoir fait de la confiture de pommes de pré, j'en pouvais pu. J'ai eu l'audace d'aller en porter un pot à ta mère pis j'ai demandé de ses nouvelles. Tout de suite, en entendant le nom de Julie, ta mère s'est mise à pleurer. A m'a dit que c'était bien spécial que j'lui demande des nouvelles justement ce jour-là. Le même jour, elle avait reçu une lettre de Julie, sa troisième. Elle l'avait encore dans la main. Longtemps elle avait été sans nouvelles pis maintenant, a recevait une lettre par mois. A m'a lu la lettre ! Je m'attendais pas à ça de ta mère... Si réservée, si peu parlante... J'pense qu'a devait comprendre toute l'affection que je portais à Julie pis a voulait partager son bonheur avec moi. J'ai trouvé ça bien généreux... Quand elle a commencé à lire, moi aussi j'me suis mise à pleurer. Ça m'a fait un choc ! Ta mère, elle avait la même voix que Julie pis là, de l'entendre dire ses mots... j'avais l'impression d'avoir Julie juste à côté de moi.

Françoise s'est arrêtée de parler un bout, la tête dans les nuages. J'ai attendu sans rien dire. Pis, elle a repris.

– Après, à chaque nouvelle lettre, ta mère t'envoyait pour me dire qu'elle voulait m'apprendre une recette de cuisine ! Elle te disait ce qu'y m'fallait apporter pour le lendemain pis j'arrivais avec tout mon gréement... pour entendre la lettre de Julie. Ces après-midi-là passés avec ta mère, c'était du bon temps... En plus, ta mère a fini par faire de moi une assez bonne cuisinière ! Julie, a devait y avoir dit que j'étais pas bien connaissante de c'te côté-là pis ta mère, elle a saisi l'occasion de m'aider sans que ça paraisse trop. En plus, on partageait le plat que ça donnait, pis tout l'monde était content. Ça m'a rapprochée de ta mère. On n'est jamais devenues des grandes amies, on n'a pas eu le temps... mais on avait un bon lien. Des fois, j'lui apportais des livres que j'avais lus. Pis là, je voyais un éclair dans ses yeux. J'étais tellement heureuse de pouvoir procurer un p'tit peu de plaisir à ta mère, c'était rendu que j'choisissais mes livres en fonction d'elle. Sans qu'a s'en doute pour sûr... a était fière, ta mère !

Françoise s'est encore arrêtée de parler, encore partie dans ses souvenirs. J'en ai profité pour me lever. Je l'ai remerciée et je suis sorti.

Je venais juste de rentrer chez nous que Pierre à Charles est arrivé avec une belle surprise. À la vente de musique, il avait acheté un disque de Jorane et il m'en avait fait une copie sur cassette. Déjà, il était entré ici pendant que je l'écoutais, il savait comment j'aimais sa musique. J'étais content en diable ! J'ai fait du café et on a écouté la cassette ensemble, en fumant des cigarettes assis à côté du poêle. Je chauffais à bloc. Dehors, il y avait un vent de fou qui trouvait le moyen de se faufiler partout. Bizarre d'écouter la Jorane avec quelqu'un. Je pouvais pas autant partir dans mes songes mais c'était plaisant pareil. Pierre à Charles, c'est une bonne personne, capable de se taire des grands bouts. Il regardait au dehors... et il a pas dit un mot tout le long de la cassette. Tellement qu'à la fin, je l'avais oublié.

J'étais parti avec le vent. La musique avait encore réussi à m'amener avec elle dans ses histoires.

Plus tard dans la semaine, je suis retourné voir Françoise. Quelque chose me chicotait.

– J'aimerais que tu m'expliques quèque chose, Françoise... Pourquoi c'é faire que vous aviez besoin de faire des cachettes pour que maman te lise les lettres de Julie ? Pis pourquoi c'é faire itou que tu dis que vous aviez pas eu le temps de devenir amies ?

Encore une fois, Françoise m'a regardé longtemps, comme surprise de ma nouvelle capacité à parler... Pis, elle a finalement répondu.

– Tu sais, André, ta mère, a m'impressionnait gros. C'était quelqu'un de plus intelligent que le reste du monde de par ici, bien plus instruite itou de par ses lectures. J'étais gênée avec elle, c'é pas croyable. Ça fait que je lui ai jamais demandé pourquoi a me lisait les lettres en cachette. Mais c'était un secret, ça c'é certain. Dès la première fois, a m'avait fait promettre d'en parler à personne. J'avais pas osé la questionner. A m'avait même flattée un peu, me disant que Julie lui avait tellement parlé de moi, qu'a savait pouvoir me faire confiance. Tu penses bien, ça me rendait fière. J'avais pas envie de paraître fouineuse en posant des questions ! Mais j'peux te dire la raison que moi j'en avais déduit... J'pense que c'é rapport à toi, qu'a voulait pas qu'on parle de Julie... J'suis certaine qu'elle t'a jamais lu les lettres. Pourtant, ç'aurait été bien normal, me semble, de te donner des nouvelles de ta grande sœur ! Non, a voulait que t'oublies Julie le plus vite possible. R'marque, je suis pas sûre et certaine de c'que j'te dis là. En seulement, y'a des choses... on les sent plus qu'on les comprend. Pis tu vois, ta mère, elle t'aimait pas ordinaire pis j'avais l'impression que tout c'qu'a faisait, c'était toujours en pensant à toi. C'é la raison pour laquelle j'suis pas mal sûre de pas me tromper en disant que c'é rapport à toi qu'a voulait garder le secret.

Encore là, Françoise est partie dans les nuages un grand bout. J'ai attendu sans un mot qu'elle revienne avec moi.

– Pis, pour ton autre question... c'é pas mal plus facile à comprendre. Ta mère a commencé à être malade vers ce temps-là. Son cancer a empiré vite. Vers la fin, c'était même rendu moi qui lui lisais les lettres de Julie... elle en avait plus la capacité... Mais je répondais pas aux lettres, par exemple, j'sé pas comment a réussissait son compte mais écrire à Julie, c'était son affaire. Pis a voulait rien savoir que je l'aide. Elle m'avait fait promettre, comme de raison, de jamais écrire à Julie de mon propre chef. J'étais supposée être au courant de rien... Plus tard, j'ai bien eu envie d'écrire à Julie, mais... on trahit pas un serment. Surtout un serment fait à une mourante ! Là encore, Françoise s'est arrêtée de parler pour partir dans les nuages. J'en ai profité pour faire pareil... D'après ses dires, Julie avait finalement donné son adresse à maman et j'en étais content. Durant un long bout, on parlait pas ni l'un ni l'autre. Finalement, Françoise a repris son discours.

– J'sais pas trop... toute cette période-là de mes visites à ta mère a peut-être duré deux ans, pas plus. C'é pour ça, comme j'te disais, qu'on n'avait pas eu le temps de devenir de grandes amies, ta mère pis moi. À une lettre par mois, ça faisait quand même pas bien des visites en tout et partout pis pour sûr, on n'avait pas le même âge non plus. Mais quand même... a m'a fait demander sur son lit de mort. J'lui tenais la main quand ça lui faisait trop mal pis je restais toujours au proche. J'ai passé les derniers jours à lui lire des livres pis des fois, à lui relire les lettres de Julie. À la fin, a parlait plus pis j'étais plus tellement certaine si a m'entendait... mais je continuais à lui faire la lecture pareil. Elle est morte comme ça, pendant que je lisais...

Là, j'ai parlé quasiment sans m'en rendre compte :

– J'me rappelle maintenant... ça me r'vient pendant que t'en parles. C'é bizarre, j'avais plus souvenir de ces affaires-là en tout' !

Je me suis levé, en essayant d'éviter le regard de Françoise. Je l'ai remerciée de ses paroles et je suis sorti. Je me sentais dans un drôle d'état. Comme si j'avais dormi longtemps et là, je me réveillais, en étant pas bien sûr si je dormais pas encore. Je me suis rendu direct à la côte. J'avais besoin de marcher pour m'éclaircir les idées.

Je revoyais bien maman asteure, couchée dans un lit bizarre, avec des tubes. Une image bien nette comme si je me tenais là. Comme si ça venait juste d'arriver. Je me souvenais aussi des visites de la garde-malade... Elle venait matin et soir, pour ajuster les tubes. À chaque fois, elle demandait à papa pour qu'on amène maman à l'hôpital. À chaque fois, papa disait la même affaire : maman lui avait fait promettre de la laisser mourir dans son lit, et il avait bien l'intention de tenir parole. Je me rappelle bien aussi des regards apeurés de la garde quand elle me rencontrait !

Maman demandait à me voir, et moi, quand papa m'obligeait à entrer dans la chambre, je me tassais dans un coin... et je restais là sans bouger. J'ai pas souvenance des propos de maman... Si je restais là longtemps... Des choses qui s'y passaient... J'avais peur. C'est tout ce que je me souviens. Une petite boule rentrée dans un coin. Une petite boule de peur.

Je me rappelle aussi les visites de Françoise. Je m'en rends compte maintenant comment ces visites-là devaient tranquilliser la garde. Quelqu'un de pas trop fou dans la place, pour s'occuper de la mourante ! Je vois Françoise en train de lire à côté du lit mais, pour sûr, j'entends rien de ses dires.

Me semble, c'est pas ordinaire ce qui se passe dans ma tête... Je marche sur les glaces. Le vent en furie y promène des petites billes de verre. Dans le soleil encore bas, le ciel montre toutes les couleurs adoucies de l'arc-en-ciel. Cette beauté-là doit égaler bien des belles choses qu'on peut voir dans les musées en ville ! Et en même temps, je vois quarante ans en arrière. Je veux pas y aller... je préfère rester dans la beauté, ici. Les images arrivent, je peux pas les empêcher d'arriver, mais elles sont pas des plus plaisantes. J'aime mieux pas trop chercher à les aider. Ces images-là, je les regarde en étranger, et c'est bien correct de même. Je veux surtout pas sentir les choses comme ce petit mousse-là les sentait. Je le sais, c'était de la peur, une peur de tout. Sauf de la mer, du dehors... De la mer, du dehors, j'ai des souvenirs. Le dehors m'a sauvé, je crois bien ! Il me sauve encore. Je suis heureux des choses entendues de la bouche de Françoise, mais je vais reprendre une pause. C'est pas facile à digérer, ces affaires-là ! Il faut laisser faire le temps. Pour un bout, je m'en vais juste écouter la Jorane et mes *Ave Maria*. Et si ça suffit pas, j'ai monsieur Mozart...

Montréal, 15 décembre.

Bonjour, maman. Cette fois-ci, je devrais être à temps pour Noël. Je t'envoie des livres. Ceux que j'ai le plus aimés. Pour papa, un foulard. Pour André, j'ai eu plus de difficultés à me décider. Je lui envoie finalement ce chandail en mohair, c'est tellement doux. Je l'ai pris grand pour être certaine qu'il lui fasse. J'espère que ces cadeaux vous feront plaisir.

Jusqu'au début janvier, je suis en vacances. Je passe mon temps à marcher dans les rues. La neige recouvre tout et fait apparaître la ville comme dans un film de Noël ! Et tu n'imagines pas comment les petites rues de Montréal peuvent être calmes et désertes au milieu de la semaine, quand tout le monde travaille ou magasine dans les rues commerciales. Parfois, je trouve cela plus tranquille ici qu'à la campagne ! Je profite de mes vacances pour aller beaucoup au Café, faire des visites aux amis et lire tout ce qui me tombe sous la main. J'adore avoir du temps et le perdre en flâneries...

J'adore être au chalet l'hiver. Le matin, je reste bien au chaud sous les couvertures tant qu'Yvon n'a pas reparti le poêle et préparé le café. Puis nous déjeunons assis par terre en regardant les flammes. Je peux passer des heures à entretenir le feu et à jouer dedans. Mais arrive toujours un moment où le chalet devient vraiment trop chaud, et nous partons alors pour de longues marches dans la campagne.

Début janvier, les répétions vont commencer pour la pièce, sûrement d'autres tournages puis plus tard, le film de Claude... La course va reprendre. Alors, je profite de mon temps.

Je vous embrasse tous et je vous souhaite le plus beau des Noël. Je vous aime très fort,

Julie, xxx

Julie doit vraiment être heureuse pour en dire autant sur nous autres! Elle a même écrit mon nom! J'ai aimé à l'entendre. Je garde pas souvenir du chandail dont elle parle. Je me demande bien où maman l'avait mis. Si, comme Françoise le prétend, maman voulait que j'oublie Julie, c'est facile à comprendre pourquoi je l'ai jamais vu! Je trouve triste de penser à maman. Elle avait beau comprendre et en savoir long sur le pourquoi du départ de Julie, y devait pas être facile pour elle de pas avoir sa fille au proche, et de pas pouvoir lui écrire en plus. Surtout quand elle a commencé à être malade... Maman est morte jeune. Par ici, d'habitude, les femmes vivent vieilles. Les hommes partent les premiers, longtemps en avance même. Maman aurait aimé à prévenir Julie de sa maladie et garder espoir de la revoir avant sa mort. Maintenant, grâce à Françoise, je sais qu'elle a pu lui parler...

Le mois de mars est souvent une belle période, aux Îles. Le froid de février fait prendre les glaces et, en mars, le temps devient plus doux. Ça devient agréable de marcher sur les glaces dans la belle lumière. Cette année, dès le début d'avril, il s'est mis à faire chaud. Il y a eu des jours de pluie et les glaces sont vite devenues impraticables. C'en était fini des longues marches sur la mer blanche. Il y a encore du beau mais, disons, il faut le chercher plus longtemps ! Moi, j'attendais mon paquet. Je l'ai attendu jusqu'au milieu d'avril. Il est arrivé par un beau jour de soleil. Une journée où tu as l'impression que l'été est arrivé d'un coup et que tu vas voir des touristes sur les plages. La journée était si belle que j'ai pris mon parka pour m'asseoir dessus et j'ai écouté ma cassette à mon ancienne place, sur le bord de la baie.

Montréal, 17 janvier.

Bonjour, maman. Cette année à Noël, les parents d'Yvon nous ont laissé le chalet pour une semaine complète et nous avons invité des amis à réveillonner avec nous. Le matin de Noël, tout un spectacle nous attendait. Il avait plu les jours d'avant et, la veille de Noël, le temps s'est refroidi énormément en faisant geler le lac en une seule nuit. Au matin, même avec des invités dans la maison, j'ai attendu qu'Yvon reparte le poêle pour me lever tellement il faisait froid. Tu sais, quand il fait de si grands froids, la lumière est vraiment particulière, c'est d'une beauté impossible à décrire. Je n'ai jamais rien vu de plus beau ! Ce matin-là, au moment précis où je suis sortie et où j'ai vu le lac, je suis tombée en amour avec l'hiver. C'était si calme et si pur. Le gel rapide a donné une glace dure et lisse, sans aucune bosse. J'avais peur au début mais Yvon m'a expliqué que c'est la neige qui isole le lac et l'empêche de bien geler. Il m'a montré la profondeur de la glace dans le trou qu'il avait fait et la peur est partie aussitôt.

Nous avons passé la journée de Noël à patiner et à jouer au hockey. Avec un beau soleil, un air glacial et la chaleur du poêle pour nous réchauffer ensuite. Le lendemain, les amis sont partis et nous sommes demeurés au chalet juste tous les deux. À patiner la nuit sous les étoiles, comme Yvon me l'avait promis ! Puis, la neige est arrivée et nous avons fait de la raquette dans les montagnes alentour. Nous sommes revenus en ville pour le Jour de l'An.

Yvon est retourné au travail avant moi, et j'ai remplacé les sentiers dans les montagnes par les rues de Montréal. Il y a un bel anneau de glace dans un parc tout près, je vais souvent patiner au son de la musique. Je n'ai jamais vu autant de neige qu'en ce début de janvier. Encore hier, une autre tempête. La ville n'arrive pas à nettoyer les petites rues et heureusement... elles restent blanches. Elles restent dans la beauté.

La neige me donne l'occasion de m'occuper d'Agnès, ma voisine. Agnès, elle doit avoir dans les quatre-vingts ans et elle vit seule. Je lui tiens le bras pour descendre les escaliers de temps en temps et je l'amène prendre un peu d'air. J'aime beaucoup Agnès. Elle est toujours de bonne humeur. Elle ne se plaint jamais. Surtout pas de l'hiver et de la neige qu'elle adore. L'épicerie du coin lui monte sa commande et quand ce n'est pas moi, c'est un autre voisin qui lui rend visite. J'habite un quartier assez pauvre, mais les gens s'entraident, je trouve que ça vaut beaucoup plus que la richesse !

Nous venons de débuter les répétitions et je comprends maintenant pourquoi monsieur Dubé ne pouvait rien nous dire avant. Il a écrit l'histoire et le caractère approximatif de nos personnages, mais c'est nous qui créons la pièce en groupe, avec un jeune metteur en scène. C'est nouveau, du théâtre expérimental, et c'est complètement fou ! J'adore travailler ainsi. Nous passons trois après-midi par semaine ensemble et plus on avance, plus je m'amuse !

Je n'ai pas de tournage en vue et l'argent se fait rare de nouveau. Mais tu sais, je suis si riche ici comparé à la maison. Bien sûr, j'ai plus de choses à payer. Le loyer, le chauffage, la nourriture... Mais avant que le manque d'argent m'inquiète, cela va prendre du temps ! Et puis, quand j'ai moins d'argent, j'ai aussi plus de temps et je le préfère de loin ! Mais il y a quand même des avantages à avoir des sous... Yvon m'a offert des grosses bottes chaudes en mouton et je peux ainsi marcher

*des heures dans le froid et l'humidité, en gardant les pieds au
chaud ! Pour les gens pauvres, l'hiver peut être très difficile en
ville. Heureusement, cette année, il y a plus de neige que de
grands froids. Et la beauté fait du bien à tout le monde !
J'espère que tout va bien à la maison. Je t'embrasse,*

Julie, xxx

Pour la première fois, j'avais pas de musique avec mes
lettres. La Jeune revenait juste de voyage et elle avait pas
trouvé le temps pour un morceau. C'est bien correct, j'ai
pas besoin d'avoir toujours du nouveau. Mon paquet était
arrivé en retard sur les autres, pour la même raison. Elle se
disait pas trop en forme et ça lui faisait du bien de m'écouter parler. Elle me demandait de continuer. Pour sûr, j'allais
pas me faire prêcher !

En écoutant la lettre de Julie, je me dis qu'il y a quand
même des avantages à avoir connu la pauvreté. Julie a passé
sa jeunesse avec quasiment rien et maintenant, un rien suffit
à la faire se sentir riche. Tout le monde réagit pas de la même
manière. C'est quelque chose que je m'amuse à remarquer,
l'été, avec ceux qui reviennent passer les vacances. Il y en a,
c'est tout le contraire de Julie. On dirait qu'ils veulent se
reprendre pour toutes les bébelles qu'ils auraient aimé avoir
enfant. Ils passent leur temps à acheter et plus ils en ont,
plus ils semblent en vouloir. Des plus belles, des plus chères.
Plus les choses ont coûté, plus ils semblent contents. Les
paradeux, je les appelle. Je peux pas comprendre... Mais
j'imagine que flots, la pauvreté les a beaucoup fait souffrir.

Cette semaine, j'ai remis mon doré à l'eau et je suis
sorti en pêche une journée, au maquereau, sans grand résul-
tat. Plus pour faire un tour sur l'eau. Le reste du temps, j'ai
vérifié mes agrès. Il mouillait au dehors et j'ai réparé mes
filets en-dedans. Tout un barda ! J'ai eu bien de l'ouvrage

à nettoyer après. Pareil, c'était plaisant d'être au sec et d'écouter ma musique. Je me sentais pas trop le cœur à parler. Je suis resté tout fin seul chez nous. Il y a bien Pierre à Charles qui est venu faire son tour, un soir où j'écoutais monsieur Mozart. En premier, il a eu l'air surpris. Il m'a demandé comment s'appelait le morceau et, après, je l'ai pas entendu du reste de la soirée. Je pouvais pas m'empêcher de lui jeter un coup d'œil de temps en temps. Il avait l'air heureux en tous les cas, avec un grand sourire fendu d'une oreille à l'autre. La cendre de sa cigarette tombait par terre, lui, il regardait au large. En partant, il m'a dit que j'étais bien chanceux de pouvoir écouter ma musique en paix. Lui chez eux, il y avait toujours quelqu'un pour jacasser. La seule manière, c'était de s'enfermer dans sa chambre et de mettre des écouteurs, sauf que sa chambre était petite et il étouffait enfermé là. Je l'ai assuré qu'il pouvait venir aussi souvent qu'il voulait. Il avait l'air content d'entendre ça. Après, j'ai repensé à mes lettres, à la peur de me faire surprendre. Mais je suis fou de penser de même. Je les écoute toujours le dimanche au matin avant la messe. Je serais bien surpris de voir ressoudre Pierre à Charles chez nous aux petites heures, un dimanche ! *Anyway*, depuis une escousse, Pierre à Charles est devenu plus qu'un simple voisin. Je peux lui faire confiance. C'est pas le genre à raconter les choses qu'il voit ici dans les autres maisons. Pierre à Charles, c'est une bonne personne.

J'ai commencé à enregistrer ma cassette pour la Jeune mais j'avance pas. Je trouve rien à lui dire... C'est peut-être le temps ? La pluie plusieurs jours d'affilée... on dirait, ça rend moins propice aux parlures.

Montréal, 19 février.

Je me décide enfin, maman... je t'envoie mon adresse. Et cela me fait du bien. Je me sens stupide d'avoir attendu si longtemps. Vraiment, je te demande pardon. Hier, Agnès m'a parlé de sa petite-fille Carole, la seule famille qui lui reste. C'est Agnès qui l'a élevée, après la mort de ses parents dans un accident d'auto. Carole est journaliste. Elle travaille partout dans le monde et elle écrit à Agnès régulièrement. Le problème, c'est qu'Agnès ne peut pas lui écrire, car Carole change toujours d'endroit. Quand elle s'arrête un peu, ce qui n'arrive pas souvent, elle se dépêche d'envoyer son adresse. Agnès vient de recevoir une lettre avec une adresse. Elle était si heureuse, on aurait dit qu'elle avait vingt ans ! C'est grâce à Agnès que j'ai réalisé comment mon attitude était irresponsable, et égoïste surtout. Je me suis dit que je ne pouvais plus continuer ainsi. Alors voilà, je t'envoie mon adresse. Et je me sens soulagée, j'ai comme un poids en moins sur la conscience...

Après la neige de janvier, le froid de février est là. C'est surtout difficile la nuit. Je dors sous des piles de couvertures. Au petit matin, c'est si beau cependant ! Les vitres sont givrées et cela fait de belles forêts éphémères qui durent seulement le temps d'un café, ensuite, le soleil efface le tableau. Il y a de grands pics de glace magnifiques accrochés aux toits des immeubles. Le froid sculpte la ville et lui donne des allures de cité enchantée !

Les répétions se déroulent bien. Jean, le metteur en scène, pense que nous serons prêts pour le début avril. Et le tournage avec Claude devrait débuter en mai, par les scènes dans le Grand Nord. J'espère que je vais pouvoir tout faire sans conflits d'horaire. Andrew travaille présentement pour la télévision et le reste de l'équipe est au chômage.

Je suis heureuse de m'être enfin décidée. Déjà, j'ai hâte de recevoir ta première lettre. Pardonne-moi pour tout ce temps

147

sans que tu puisses me parler et excuse-moi pour mon attitude
auprès de papa. Je suis vraiment désolée.

Ta fille qui t'aime,

Julie, xxx

La lettre finie, la Jeune me donnait l'adresse de Julie. Le numéro 1025 de la rue Saint-André. Elle habite tout près, une drôle de coïncidence ! La rue Saint-André est à côté de la sienne. Moi, j'étais content pour maman...

Le temps semble vouloir s'arranger. J'ai levé mes filets que j'avais placés à la pluie les jours d'avant et j'avais des éperlans en masse. Après, je suis sorti au maquereau et j'ai décidé de les filoter[20]. J'ai eu de l'ouvrage pour le reste de la matinée. Le monde, ils trouvent bien fin quand je les vends déjà tout arrangés et moi, ça me prend pas grand temps. Des fois, je regarde Félix à Philias filoter. Lui, c'est supposé être le plus vite à l'usine, pourtant, je travaille encore plus vite. Certain, c'est pas du aussi beau travail, par exemple. Lui, ses filets, ils sont parfaits, tous pareils. Moi, je fais comme j'ai appris quand j'étais flot. Mes filets sont moins beaux mais le goût reste le même, me semble. Pis je laisse jamais une seule arête !

Louis à Edmond était dehors quand je suis passé par chez eux lui parler. Je l'avais pas fait depuis une bonne escousse. Pas depuis ma gaffe de l'autre fois. Lui, il a fait semblant de rien, comme si j'étais passé la veille. Je lui ai demandé à quel moment il prévoyait planter ses patates. Quand le temps serait venu, j'aimerais qu'il me le dise pour venir l'aider et les planter avec lui. Encore là, il a pas eu l'air surpris. Il fallait attendre que la terre sèche. Il m'a dit qu'ils donnaient du beau temps pour le début de mai. S'ils se

---

20. *Filoter* : lever des filets de poissons.

| 148

trompaient pas encore, avec la météo, ça devait pouvoir se faire dans les deux prochaines semaines. J'ai jamais fait ça, moi, travailler la terre. Là, j'ai comme une envie de faire des choses nouvelles. Je sais pas si c'est dû aux lettres ou bien à la musique ? En tout cas, le printemps est pas comme il a coutume, cette année.

Montréal, 15 mars.

Bonjour, maman. Hier enfin, j'ai reçu ta première lettre, j'avais tellement hâte ! À vrai dire, à partir du moment où j'ai envoyé ma lettre, j'ai passé mon temps à attendre la tienne ! Depuis presque deux ans, la peur m'empêche de regarder en arrière. Elle m'empêche également de voir à quel point ta présence me manque. Je n'en reviens pas de m'être habituée à ce manque. Enfin... quelle joie de lire ta lettre. Entendre tes mots me parler de la famille, des voisins. Pour toi, ce n'est peut-être pas facile de m'écrire, de savoir ce que tu peux dire ou pas... C'est sans doute pourquoi tu as pris ton temps. N'aie pas peur, c'est à moi d'assumer mon passé. D'ailleurs, je suis contente, je commence à le faire un peu... J'ai parlé à Yvon. Je ne lui ai pas tout dit, mais j'ai raconté qui vous êtes, les Îles. Je lui ai dit que je n'étais pas encore prête à parler de la raison de mon départ. Je ne veux pas aller trop vite. Yvon est très heureux de ce secret entre nous. Alors, merci pour ta lettre. Merci de ne pas m'en vouloir.

La pièce prend forme de plus en plus. Le jour de la première est fixé au 3 avril ! Monsieur Dubé a demandé à Jean de se laisser inspirer par les nouveautés vues à l'Expo pour la mise en scène. Et Jean a eu l'idée d'insérer différents tableaux entre les actes. Des tableaux symbolisant la différence. Dans l'un d'eux, je vais m'habiller en danseuse de l'Inde et faire quelques pas sur scène. C'est rigolo, non ? Je vais finalement danser sur scène ! Heureusement pour tous, ce sera très court ! Dans un autre tableau, le Japon et le théâtre Kabouki seront représentés. Et chacun des tableaux sera sous inspiration de La Lanterna Magica *du pavillon de la Tchécoslovaquie. Durant l'Expo, c'était le pavillon qui présentait le spectacle le plus impressionnant, il y avait toujours une longue file de gens devant.*

Depuis deux semaines, je travaille le mardi toute la journée pour la télévision. Encore grâce à Andrew ! En plus, j'ai retrouvé monsieur Buissonneau ! Il est en charge de l'émission et il joue le rôle principal ! Nous tournons une émission pour enfants. En plus d'aider à toutes sortes de choses, je prête ma voix à une marionnette ! C'est vraiment drôle, on s'amuse comme des fous en travaillant, et j'apprends. Je suis vraiment heureuse qu'Andrew ait pensé à moi, monsieur Buissonneau y est sûrement pour quelque chose aussi !

En fin de semaine dernière, nous étions au chalet, et il y a eu une grosse tempête de neige. Les routes étaient impraticables, et j'ai manqué une répétition. J'avais l'impression de vivre une grande aventure, perdue au bout du monde ! Bien au chaud dans le chalet, en ne voyant rien au-dehors. La tempête s'est calmée le soir et nous avons passé des heures à déneiger l'auto pour être prêts à partir très, très tôt, le lendemain matin.

Je suis bien contente de savoir que tout le monde va bien à la maison. Pardonne-moi pour tout et écris-moi vite. J'ai déjà hâte à ta prochaine lettre.

Julie, xxx

J'étais content d'entendre cette lettre-là. Julie se mettait à guérir. Tranquillement en plus, comme c'est la seule façon.

J'avais fini d'écouter les lettres de mon paquet sans avoir fini d'enregistrer ma cassette pour la Jeune. En parlant juste un peu à chaque jour, une cassette peut durer une bonne escousse ! Je l'ai terminée, et je suis allé la poster. En revenant de la boîte à malle, j'ai vu Louis à Edmond dans son champ de patates.

– Pis, de quoi ça a l'air ?

– Ben... c'é pas mal plus sec que j'm'y attendais. C'é sûr qu'une terre de sable, ça prend pas grand temps à sécher ! J'pense qu'on devrait être bons pour planter dans les jours qui viennent.

– Quand est-ce ? Y faut que j'le sache d'avance, avant de partir à la pêche.

– Pas demain, en tout cas, y faut que j'aille avec maman à l'hôpital pour ses tests. Disons après demain, si y'a pas apparence de pluie.

– Ok, j'vas v'nir ici tout de suite après déjeuner.

– Non, non, pas tout de suite après déjeuner, qu'il m'a dit en riant. Tu te lèves bien trop de bonne heure, on va commencer à préparer les patates vers les dix heures. Y'a pas de presse. Y faut laisser la terre se réchauffer un brin.

J'ai dit que c'était correct et j'ai pensé en moi-même qu'à dix heures, j'aurais déjà eu le temps d'aller voir à mes filets, avant de me rendre ici.

La mama morté

Le lendemain, en revenant de la pêche, Françoise m'a fait signe. Elle avait mon paquet. Comme la dernière fois, la Josée l'avait laissé chez eux. J'ai jasé un brin avec Françoise et j'y ai demandé si elle avait encore des choses à me raconter sur Julie ou sur maman. Si elle voulait, je viendrais la voir le lendemain matin avant d'aller aider Louis à Edmond aux patates.

Il faisait doux, je me suis installé à ma place sur le bord de l'eau pour écouter la musique de la Jeune. Ce coup-ci, elle m'en avait sûrement mis. Elle commençait par m'expliquer qu'elle avait mis quatre lettres sur les six qu'il restait. Comme ça, elle garderait les deux dernières, qui semblaient plus longues, pour la prochaine cassette. Moi, j'avais pas compté et ça m'a donné un coup de réaliser que dans pas grand temps, les lettres allaient s'arrêter. Ensuite, la Jeune me parlait de la pièce de musique : *La mama morté.* Elle l'avait découverte en écoutant un film. Pour elle, c'était son morceau de musique le plus triste jamais entendu. La chanteuse s'appelle Maria Callas. Selon la Jeune, la plus grande chanteuse d'opéra itou. Elle me disait que *mama morté* voulait dire quelque chose comme : la mort de la mère, en italien. La première fois où la Jeune me parlait autant sur une cassette. Elle a une tellement belle voix, la Jeune, elle peut jaser autant qu'elle veut. Là, ça me tracassait, je me demandais si elle continuerait de m'envoyer des cassettes après la fin des lettres ?

Comme la Jeune le disait, une grande tristesse m'a pris en écoutant la musique. En même temps, elle me faisait du bien, cette musique-là. Triste et heureux du même coup, c'est rare.

J'ai repensé à la mort d'Edmond. Au grand calme dans sa maison, les jours d'avant. Triste, c'est certain, mais beau en pas pour rire aussi. J'ai écouté plusieurs fois la musique jusqu'à l'arrivée de la noirceur, pis je suis retourné chez nous. En l'écoutant, je pensais à maman. Je revoyais son visage. Je la voyais en train de lire devant le poêle à la lueur du fanal. Et là, ça m'a frappé de me rendre compte comment maman... elle était belle ! Je l'avais jamais réalisé avant. Comment expliquer qu'une si belle femme avait mis au monde un enfant laid comme moi ? Pour sûr, je devais avoir hérité plus des traits de papa que des siens !

J'étais content le lendemain quand Françoise s'est mise à me parler de maman, avec la musique de la veille, c'était bien d'adon !

– C'é bizarre pareil, c'qui s'passe, André. On dit tout le temps que les vieux perdent la mémoire avec l'âge pis moi, depuis que j'ai commencé à te parler de Julie, j'ai plus l'impression de la r'trouver, ma mémoire ! J'ai jonglé souvent à ta mère ces derniers temps. Aux choses qu'elle m'a contées pendant qu'on était les deux toutes seules, durant sa maladie. Ici à la Pointe, personne comprenait pourquoi ta mère avait marié ton père. Le mystère s'éclaircissait un brin quand on réalisait que ta mère s'était mariée à vingt-trois ans en 1944, en pleine guerre. C'était pas une période où y'avait une grande quantité d'hommes en âge de se marier qu'attendaient à la porte ! Ton père, lui, y'avait été dispensé. Une autre affaire que j'ai apprise à ce moment-là... Ton père, y faisait de l'arthrite, son cas était grave, pis ça le faisait souffrir, c'é pour ça que y'était toujours de mauvaise humeur. Ta mère disait que c'était pas un mauvais homme et qu'à endurer les souffrances que y'endurait, y'était même meilleur que bien d'autres. En seulement, ta mère, elle avait été amoureuse... Un gars de Fatima, qu'elle avait connu quand elle travaillait comme garde à l'hôpital. Y'était parti à la guerre pis elle, elle avait promis de l'attendre. Pis elle l'aurait attendu... En seulement, y'é pas r'venu... Y s'é fait tuer en 1943.

Françoise s'est levée en soupirant pour nous resservir du thé. Pis après avoir reposé la théière sur le poêle, elle est restée debout, pour continuer à me conter l'histoire de maman.

– Chez eux, dans la famille de ta mère, j'veux dire, son propre père était mort l'année d'avant. Pis comme de coutume dans ce temps-là, c'é le plus vieux des gars qu'avait hérité de tout' pis qu'était devenu le boss de la famille ! Lui pis ta mère, y pouvaient pas se souffrir, y lui faisait une vie pas endurable. À lui parler en mal de son ancien amoureux pis en lui répétant tout l'temps qu'y fallait qu'elle se trouve un mari. En réalité, elle avait pas le choix de s'en trouver un! Les sœurs à l'hôpital, elles lui faisaient sentir aussi que y'était temps qu'elle s'en aille pour fonder une famille. Pis impossible de continuer ses études dans c'temps-là pour une femme, si ses parents étaient pas fortunés. Si elle avait su ce qui se tramerait plus jeune, elle aurait peut-être pu faire l'École Normale pour devenir maîtresse d'école, au lieu d'aller travailler à l'hôpital. Mais là, y'était rendu trop tard! De toute façon, après la mort de son soldat, y'avait plus rien d'important pour elle. Elle a marié ton père parce que y'était libre. Elle savait que c'était pas un mauvais diable, pis elle savait qu'avec lui, son frère lui f'rait plus jamais de misères!

Comme c'était devenu son habitude, Françoise s'est mise à jongler. J'en ai profité pour me lever en la remerciant de m'avoir parlé de maman, et je suis sorti.

J'avais encore du temps avant de me rendre aider Louis à Edmond. J'en ai profité pour prendre une marche sur le bord de la côte et jonglé aux dires de Françoise. Elle ressemblait un peu à un film, l'histoire de maman. Après, je me suis dit... c'est peut-être comme dans les films justement parce qu'à l'époque, la même histoire se produisait pour bien des femmes!

Louis avait installé deux chaises dehors, avec des sacs de patates à côté, et il montait de la cave avec des chaudières de cinq gallons quand je suis arrivé. Il m'a montré comment couper les patates en m'assurant d'avoir toujours deux ou trois yeux[21] par morceau. Et on s'est mis à travailler. Après une escousse, sa mère est sortie en nous disant qu'on pouvait commencer à planter, qu'elle allait continuer à couper des patates pendant ce temps-là. Louis l'a regardée en voulant dire: « T'es capable? » Et elle lui a répondu en bougonnant, qu'elle était encore capable de couper des patates!

---

21. Les yeux sur les pommes de terre désignent les bourgeons.

On est partis avec chacun deux chaudières pleines au bout des bras. Une fois assez loin pour pas être entendu de sa mère, Louis m'a dit :

– C'é pas qu'elle en a pas la capacité, en seulement, elle est rendue pas mal plus négligée dans son ouvrage qu'avant. Tu vas voir, les morceaux de patates qu'a va faire, y s'ront pas des plus fameux...

Louis à Edmond m'a montré comment placer les patates dans la terre. Comment passer la charrue pour ouvrir le saillant. Et ensuite, comment le refermer, toujours avec la charrue. On faisait chacun sa rangée, un à planter, l'autre à la charrue. Une job plaisante... La terre se travaillait bien, la veille, Louis avait passé sur tout le terrain avec le tracteur. C'est pour ça qu'on était capable de se servir de la charrue à bras, aujourd'hui. Quand un des deux prenait un peu d'avance sur l'autre, il fumait une cigarette au bout du rang en attendant. C'est moi qui suis retourné changer nos chaudières vides pour des pleines, de cette manière-là, Louis pouvait se reposer un brin. Louis, il est fort comme un bœuf, mais avec sa grosseur... quand il travaille, il manque de souffle et il transpire, c'est pas croyable ! Comme il l'avait prédit, les morceaux de patates de sa mère étaient pas des plus fameux.

Plus tard, la mère a arrêté pour préparer son dîner et on en a profité pour finir de couper les patates restantes. Plus tard encore, Louis est allé dîner aussi et moi, j'ai continué tout seul. On a fini de planter au milieu de l'après-midi. Je suis entré prendre un thé avec la mère. Louis se lavait pendant ce temps-là. Ensuite, il s'est installé à sa place habituelle, avec une bière. Je lui ai dit que je reviendrais la semaine d'après planter son autre terrain. Celui-là est plus long à sécher, vu qu'il est dans les bâsseures. Et je suis retourné chez nous. J'étais quand même pas mal éreinté, même si je suis dur à l'ouvrage, c'est pas le genre de travail dont j'ai coutume ! Pousser la charrue, c'est pas trop malaisé mais planter les patates, c'est plie pis déplie à chaque fois... Pis moi, j'en ai long à déplier !

La semaine a été tranquille, du beau temps, et beaucoup de monde à virer autour des maisons en se cherchant des occupations pour rester au dehors. Moi, j'allais à la pêche le matin, je faisais ma tournée et après, je me faisais chauffer la couenne au soleil en écoutant la Callas. C'est une chose bien plaisante avec le printemps, la vie devient plus facile.

Montréal, 4 avril.

Bonjour, maman. Merci de m'avoir écrit rapidement, j'étais tellement heureuse de te lire. J'ai reçu ta lettre hier, juste avant de partir pour la première de notre pièce de théâtre.

Que d'émotions ! Je ne m'attendais pas à cette réaction. Moi, j'avais envie de pleurer en sortant de scène, la salle était à moitié vide. Jean et les autres comédiens étaient découragés aussi ! Finalement, je suis rentrée chez moi en riant après avoir entendu les commentaires enthousiastes de ceux qui étaient restés jusqu'à la fin et que monsieur Dubé nous ait parlé pour nous expliquer la réaction du public. Aujourd'hui, nous sommes au repos et demain, nous aurons une réunion pour décider ensemble de la suite, de la même façon que nous avons procédé pour monter la pièce. Je crois que je vais passer la journée au lit, je me sens épuisée. Je n'ai pas beaucoup dormi, j'étais trop excitée ! J'en ai profité pour relire ta lettre plus lentement, bien au chaud sous mes couvertures et je t'écris de mon lit maintenant.

Nous commencerons le tournage avec Claude début mai avec les scènes extérieures dans le Nord du Québec. Je suis contente de connaître les dates avant la réunion de demain. Comme cela coûte cher de déplacer une équipe de tournage, nous serons absents seulement sept jours. Ce sera donc assez facile d'agencer le reste de mes activités autour.

Je suis bien contente que le temps doux soit de retour même si j'adore l'hiver. Mes voisins ont un petit parterre de fleurs et présentement, il est plein de perce-neiges et de crocus. Je descends souvent, le matin, avec mon café, et je m'assois dans les marches pour regarder, en faisant la jasette avec Agnès. Elle nettoie, elle enlève les mauvaises herbes et elle a toujours du temps pour tout arrêter et parler avec les passants.

C'est bien que tu lises mes lettres à Françoise. Je l'aime beaucoup, Françoise. Je n'ai pas encore eu le courage d'écrire à Louis... si jamais tu le rencontres, dis-lui que je vais bien.

Contrairement à ce que j'ai écrit tout à l'heure, je trouve le soleil trop attirant pour rester au lit, je vais aller poster ta lettre et faire un tour dehors.

Portez-vous bien. Je vous embrasse tous les trois. Écris-moi vite,

Julie, xxx

Porte-toi bien... Je m'en rends compte, Julie sait toujours pas, pour la maladie de maman. Peut-être maman voulait pas l'inquiéter dès ses premières lettres en lui parlant de sa maladie. Mais me semble, elle devait être malade, dans ce temps-là... J'arrive jamais à me dépêtrer avec les dates, c'est bien mal aisé pour moi de dire avec certitude quelle année et quel jour maman est morte. Au début, papa comptait les années et faisait chanter des messes. Après la mort de papa, c'était Edmond qui me tenait informé et il faisait dire des messes pour maman et pour papa itou. Après une escousse, il a oublié de le faire faut croire, pis après, il est mort lui aussi. Pour sûr, je pourrais m'informer auprès de Françoise...

C'était quelque chose à voir la première fois où Pierre à Charles a écouté la Callas chanter ! Il prenait une marche et il est entré faire son tour en passant. J'étais installé bien confortable, à écouter. Il m'a même pas salué. Il est plus tombé assis qu'autre chose. Et il est rentré dans la musique. Quand le morceau a fini, il m'a rien demandé, mais je me suis dépêché de remettre la pièce au début. On a fait de même trois fois d'affilée. Seulement après, il m'a demandé les noms. Moi, j'étais bien surpris qu'il connaisse pas. J'étais encore plus surpris quand il m'a dit l'avoir déjà entendue, mais jamais aussi bien, c'est pour ça qu'il l'avait pas reconnue.

– Tu sais, André, ici, t'as vraiment une qualité de son que y'a pas ailleurs. On dirait que c'é le silence entre les notes qu'é pas le même. Pis là, j'veux pas juste dire que y'a pas de bruits autour. Non, y'a vraiment quèque chose de spécial dans ta maison... C'é peut-être dû au fait que y'a juste du bois, presque pas de meubles, et juste des affaires naturelles... je le sé pas trop, mais en tout cas, quand j'écoute d'la musique ici, ça ressemble à rien de c'que j'ai entendu avant...

J'étais bien content d'entendre ça. Et bien heureux itou de voir comment Pierre à Charles aimait à être chez nous pour écouter ma musique. J'étais fier de ma maison !

J'ai profité de sa visite pour lui demander s'il pourrait me montrer à me faire une boîte aux lettres. Pierre à Charles, il est sacrément habile de ses mains. Il m'a dit que ça lui ferait plaisir. J'avais juste à passer chez eux cette semaine et on la ferait ensemble.

Comme le temps était resté au sec, à la fin de la semaine, Louis à Edmond et moi, on a été bons pour planter son dernier terrain de patates. Louis a fait exprès d'arranger ses affaires pour planter une journée où sa mère serait partie tisser au Bassin. Il tenait pas à avoir des morceaux de patates coupés tout croches cette fois-ci. Moi, j'ai eu besoin de tout mon petit change pour pas poser de questions à Louis, rapport à Julie, mais... j'ai tenu bon. J'étais encore éreinté le soir en rentrant chez nous. J'imagine, ça doit prendre une escousse à s'y faire. Louis était encore en sueur mais lui, il avait pas l'air d'avoir mal nulle part. Depuis tout petit, il fait ce travail-là, faut dire.

Samedi, Pierre à Charles est arrivé chez nous avec ma boîte aux lettres. Vernie et avec une belle enveloppe gravée dans le bois. Il m'avait dit qu'il la vernirait pour pas qu'elle s'abîme à l'extérieur et qu'il me l'apporterait une fois finie. Il avait même amené avec lui son marteau et des clous pour l'attacher... Pour dire vrai, j'ai pas fait grand-chose dans cette boîte à lettres-là ! Chez eux, je l'avais regardé faire en fumant des cigarettes vu qu'il est bien équipé et que je sais pas comment me servir de tout son attirail. Des outils bien trop modernes pour moi. Je me serais coupé une main en essayant ! Faut dire, Pierre à Charles, après cinq minutes, il avait déjà fini et on s'est assis dehors à fumer ensemble. C'est moi qui fournissais les cigarettes, au moins !

J'ai tout raconté à la Jeune sur sa cassette. Et je lui ai dit que j'aimerais beaucoup si elle voulait continuer à m'envoyer de la musique et à me parler... après la fin des lettres. C'était pas mal effronté de ma part mais j'avais pas le choix ! Je voulais pas que la musique s'arrête.

Montréal, 29 avril.

Bonjour, maman. Je te souhaite une très belle journée de la Fête des Mères. Merci de tout ce que tu as fait pour moi. Je t'aime énormément.

J'aimerais pouvoir passer la journée avec toi, à te gâter. T'amener dîner au restaurant et prendre une grande marche en te montrant mes parcs et mes arbres favoris. L'après-midi, nous irions au musée et ensuite, nous prendrions le thé avec des gâteaux, au 9ᵉ étage de chez Eaton. Le soir, je ferais à souper et je serais nerveuse car je suis très mauvaise cuisinière !

Mais comme ce n'est pas possible, je ne fais que d'y rêver, en pensant à toi. Je t'envoie ce livre d'Yves Thériault, Agaguk, et une boîte de thé de Chine, une autre de mes découvertes à l'Expo! Thériault, il est très près de la nature, et même en ville, en le lisant, je me retrouve près de la mer. Je suis contente d'entendre que le petit va bien et que papa lui a appris la pêche. Il sera bien mieux dans un doré que sur les bancs d'école. Est-ce que l'arthrite de papa le fait beaucoup souffrir? J'espère pour lui que le printemps n'est pas trop humide.

Notre pièce de théâtre continue de faire réagir. Certains adorent, d'autres détestent! Mais bon, plus les journaux parlent de nous, en mal ou en bien, plus les gens viennent nous voir et la curiosité les fait demeurer dans la salle de plus en plus longtemps. Même parmi mes amis, les avis sont partagés. Certains commentaires polis sont faciles à interpréter, tandis que d'autres, comme Yvon, adorent et ne tarissent pas d'éloges. Yvon prétend qu'il n'a jamais rien vu de si bon ni de si original, Mireille aussi. Moi, j'adorerais que tu puisses être là pour la voir!

Je pars la semaine prochaine pour le tournage dans le Nord et nous sommes tous bien contents d'avoir une semaine de congé du théâtre. Cette ambiance survoltée, quoique stimulante, est vraiment épuisante! Dès mon retour, nous entreprenons une autre série de représentations dans une salle plus grande.

À la télévision, monsieur Buissonneau a envoyé Yvette, mon personnage de marionnette, en vacances, pour que je puisse partir. Rien n'est compliqué avec lui!

Porte-toi bien, je t'embrasse,

Julie, xxx

Cette semaine, j'ai des commandes de poissons plein les bras. Pour le Café qui vient d'ouvrir, et pour le monde de la place itou. Je suis sorti en pêche tous les matins et le reste de mes journées était occupé à faire mes livraisons. La semaine a passé sans me laisser aucun temps pour visiter Françoise ni pour jongler. Pour sûr, à pêcher dans mon doré, j'aurais tout loisir de jongler à mon aise... c'est pourtant pas de cette façon-là que les choses se passent. Sur l'eau, je pense à rien. Je suis là, avec le vent. Il y a la mer, les poissons et les oiseaux. C'est tout, rien d'autre dans ma tête. Sauf des fois sur le retour où, là, je peux me remettre à jongler. Mais dans des périodes comme ici où je suis occupé en diable, au retour, je pense à mes livraisons ! Moi, pour penser, il faut que je marche. Et avec une vue, préférablement.

J'avais même pas eu le temps de commencer une nouvelle cassette pour la Jeune et déjà, dimanche était là !

Montréal, 30 mai.

Yvon est mort, maman. Un accident d'auto. Il venait me chercher après le tournage dans le Nord, pour me ramener à Montréal. C'est arrivé au nord de Sept-Îles, où il avait dormi. Il est parti très tôt le matin. Il ne s'attendait sûrement pas à trouver de la glace sur sa route à la fin du mois de mai... Il a dérapé. C'est un camionneur qui l'a trouvé. Il est mort à l'hôpital de Sept-Îles. Quand ils m'ont prévenue, il était déjà mort. Il est mort seul. Sans que je puisse lui tenir la main.

Je m'excuse, c'est tout ce que je peux dire pour l'instant. Je n'ai pas la force d'écrire plus...

Julie, xxx

Je suis resté planté là, avec de la misère à respirer... Comme les jours où le vent souffle trop fort. Y'a pas de mots pour dire toute la tristesse qui s'est saisie de moi. Je sais, c'est fou de me laisser chambouler de même pour une histoire survenue il y a quarante ans. Je le sais... mais en même temps, je peux rien y faire. Pour moi, ça vient juste d'arriver. Je comprenais maintenant que suite à cette nouvelle-là, c'était devenu impensable pour maman de parler de sa maladie. Comment elle aurait pu en rajouter encore au chagrin de Julie? Non, vraiment, à partir de là, c'était plus possible...

J'ai pris une grande marche sur la dune par la baie d'endehors. J'ai traversé à côté du goulet puis j'ai filé jusqu'au bout du banc et je suis revenu par le même chemin. Une marche qui prend la journée. La marche me fait du bien. Comme si mes jambes, en se faisant aller, rendaient mes pensées plus faciles, plus légères.

La dernière lettre était trop courte, bien trop triste itou. J'avais pas envie de rester là-dessus. Après avoir pris mon souper, j'ai sorti une chaise dehors, avec une grosse catalogne pour m'abrier et j'ai écouté une autre lettre. La noirceur était tombée, la seule lumière était celle de ma cigarette, pis pour sûr, celle des étoiles au firmament.

Montréal, 14 juin.

Les funérailles d'Yvon se sont très mal déroulées. La mère d'Yvon s'est mise à crier après moi. Elle criait que c'était de ma faute si Yvon était mort, que je l'entraînais dans des histoires sans bon sens. J'ai cru mourir là. Je suis sortie du salon en courant. Le père d'Yvon m'a rattrapée au dehors. Il m'a dit de ne pas en vouloir à sa femme, elle avait trop mal... Perdre son enfant... il n'existe rien de pire pour une mère, elle ne savait plus ce qu'elle disait. Il m'a dit que c'était un accident et que personne n'est responsable des accidents. Il m'a dit aussi que depuis notre rencontre, son garçon n'avait jamais semblé aussi bien, que je l'avais rendu heureux. Et puis qu'une mère, c'est possessif, des fois. Elle était jalouse de l'amour d'Yvon pour moi et maintenant, même de ma douleur.

Sur le coup, les paroles de son père m'ont calmée et m'ont fait du bien mais dans mes cauchemars, ce sont les paroles de la mère d'Yvon qui me reviennent.

Je n'arrive plus à dormir et si je m'endors, je me réveille en sueurs, en pleurant. Dans mes cauchemars, les choses se mélangent; Yvon, l'accident, les cris de sa mère, le petit... Je n'arrête pas de penser au petit. Durant le jour et en rêve aussi. Et j'ai des remords... J'ai l'impression de perdre la tête. Si je vois un fou dans la rue, je panique. Maintenant, je fais des détours pour éviter les rues où certains quêtent ou déambulent en parlant tout seul.

Le printemps n'a jamais été aussi beau. Moi, je le trouve horrible... Toutes ces fleurs me dégoûtent et me font penser à la mort. Je vois la mort partout.

Je m'excuse de t'écrire toutes mes sombres pensées. J'espère que tout va bien à la maison.

Julie, xxx

On peut pas prétendre que cette lettre-là soit moins triste que l'autre. Bien au contraire, la déprime y semble encore plus grande. Pis c'est bien normal, je sais pas à quoi je m'attendais! J'ai été surpris et pour dire vrai, j'en ai eu de la peine... entendre ma sœur parler de moi comme d'un fou! Depuis longtemps, je suis habitué à voir le monde me regarder comme tel et je l'imagine facilement, ils parlent de moi comme d'un fou. En seulement, je l'aurais jamais imaginé de ma propre sœur! Pour sûr, maman m'a jamais regardé de cette façon-là, et papa non plus, malgré ses façons pas toujours douces. Mais il y a les dires de Françoise... Pour Julie, j'avais changé avec l'école et même si maman devait lui dire que j'allais mieux, elle la croyait sûrement pas ! Il y a ses cauchemars et ses remords qui me chicotent itou...

Dans les semaines qui ont suivi, tout ça m'a tracassé. Malgré le retour du beau temps et la belle lumière sur la baie, j'arrivais pas à être tranquille. J'y jonglais et j'y jonglais encore. Pour tout dire, j'avais peur. Plus que deux lettres... Apparence, ce qu'on sait pas peut pas nous faire de mal... je sais pas trop ? Pour sûr, en tout cas, la curiosité était trop forte. Malgré la peur, une petite partie de moi voulait savoir.

J'ai attendu l'arrivée de mon paquet longuement mais sans hâte. Et finalement, par un bel après-midi, je suis revenu de pêche et mon paquet était dans ma nouvelle boîte aux lettres. J'ai espéré au dimanche pour écouter ma dernière cassette. Même pour la musique, j'ai attendu. Une partie de moi voulait écouter les lettres tout de suite, pour en finir. Une autre était pas sûre de vouloir l'écouter en toute. Durant la semaine, j'avais encore de l'ouvrage à revendre avec la pêche, *anyway*. Je me suis dit que le mieux était de faire comme de coutume. J'ai attendu au dimanche.

Je me suis installé au devant de la baie. On était dans la première semaine de juin. Une journée venteuse. Une belle chaleur, et des couleurs douces dans le ciel du matin. Je me suis calé à l'abri, dans les herbages secs, et j'ai écouté.

Montréal, 16 juillet.

Merci de ta lettre, maman. Merci pour tes mots de réconfort.

Il fait chaud à Montréal, et tout le monde se plaint de la chaleur, comme tout le monde se plaignait du froid cet hiver... Et moi, je juge tous ces gens ! Je ne m'aime pas. Je ne regarde que le côté noir et caché contenu dans chaque phrase. Avant, j'aimais voir la beauté des choses et des gens... je n'y crois plus. Je travaille le plus possible et le peu de temps qu'il me reste, je le passe seule. Je me trouve déjà si difficile à vivre, je ne veux pas m'imposer aux autres ! Surtout, les amis sont mal à l'aise avec moi. Ils pensent à Yvon dès qu'ils me voient, pourtant, ils ne prononcent jamais son nom. Ma douleur leur fait peur. Je suis tellement lourde... Et tout le monde a envie de légèreté ! Je marche encore dans les parcs, mais je regarde par terre. La beauté me fait mal. Il me semble que je n'ai plus le droit de la voir si Yvon n'est pas là. J'éprouve un grand sentiment d'injustice pour toutes les choses qui continuent d'exister sans lui !

Le vendredi soir est un peu différent. Ce soir-là, Mireille vient m'attendre après son travail, et nous allons chez elle, avec des amis musiciens. Et je bois. C'est ma soupape de la semaine. Je bois à en être saoule. Tu sais, je ne risque rien avec ces beuveries, au contraire, ces soirées me sauvent du désespoir. L'alcool me fait rire, je ris, c'est assez incroyable, non ? Et c'est le seul moment où je suis capable de parler d'Yvon. Mireille était son amie proche, alors avec elle, c'est possible de parler. Je dors sur place et le matin, je vais au travail en n'ayant dormi que quelques heures, mais le cœur un peu moins lourd.

De façon étonnante, c'en est même troublant, je suis capable de continuer à jouer. Cela me fait vraiment bizarre de réaliser à quel point la vie peut continuer malgré tout !

Yvon est mort... et la vie ne s'arrête pas ! Sur scène, j'arrive à me sentir bien. C'est peut-être parce que sur la scène, je deviens quelqu'un d'autre ? Le mardi, je suis Yvette, la marionnette, et je m'identifie très, très bien à Yvette !

Notre pièce de théâtre est devenue un grand succès depuis qu'un critique français est venu la voir et l'a trouvée brillante ! La salle est pleine à chaque représentation et elle le reste jusqu'à la fin. Il y a beaucoup de façons de parler de cette pièce, mais de dire qu'elle est brillante... c'est complètement ridicule. Enfin, si un critique français le prétend ! Tu vois comme ma *naïveté a fondu ? Je suis devenue cynique et je déteste le cynisme. Je me referme comme une huître. Il n'y a que le noir que je laisse passer ! Yvon ne m'aimerait pas ainsi...*

Le film de Claude est terminé, la sortie en salle est prévue pour l'automne, probablement en octobre. Dès que j'ai eu terminé, j'ai prévenu Andrew et je travaille déjà sur un autre tournage. Le calme d'Andrew m'aide, nous ne parlons pas beaucoup, mais de me retrouver dans son entourage me fait du bien. Pourtant, il faut que je fasse attention. Ce serait facile de me retrouver dans ses bras, de me faire réconforter en faisant du tort à tout le monde et en répandant mon malheur sur les autres. Alors, je m'arrange pour n'être jamais seule avec lui. Je ne me fais plus confiance...

Je ne marche plus dans certaines rues et je prends des taxis, j'évite ainsi les rencontres dérangeantes. Mais je fais quand même des cauchemars, presque toutes les nuits... sauf les vendredis. J'espère que ta main va mieux. Je n'ai pas eu trop de difficultés à lire ta lettre, mais ça ne doit pas être facile pour toi, pour la cuisine et le reste.

Pardonne-moi d'être aussi déprimante,

Julie, xxx

Il y a comme un gros poids de déposé sur moi. Cette lettre-là rend le ciel plus sombre. Elle enlève les couleurs aux herbages. L'humidité a réussi à traverser mon linge et je grelotte des pieds à la tête...

J'ai pas arrêté la cassette à la fin de la première lettre. J'étais plus capable de bouger... Ni d'attendre. Il me fallait entendre la dernière tout de suite. La fin de l'histoire de Julie. Mais après la première lettre, c'était la Jeune qui parlait. Je veux dire... c'était la Jeune avec ses mots à elle, pas ceux de Julie. J'ai dû réécouter plusieurs fois son message pour bien saisir ses propos. C'était pas tant les mots un par un que je comprenais pas, que le sens de ces mots-là mis ensemble.

– Bonjour, André. Je dois te prévenir. La dernière lettre n'était pas décachetée ! Au début, j'ai cru que c'était la colle qui, avec le temps, avait remis ensemble les deux côtés de l'enveloppe. Mais non. À voir l'état des feuillets, cette lettre-là, personne l'a jamais lue ! J'ai fait comme pour les autres lettres, je l'ai lue en te l'enregistrant. Mais cette fois-ci, je t'avoue, j'ai eu envie de tricher, de l'effacer et de la reprendre en changeant des bouts ! Je ne l'ai pas fait pourtant. Je n'ai pas le droit de changer les mots de Julie, même avec les meilleures intentions du monde. Et surtout, Julie, elle t'a aimé d'un amour rare. C'est dans sa dernière lettre qu'on le comprend le mieux. Même si c'est dur à entendre, tu dois savoir. Et de ce que je connais de toi maintenant, je crois que tu as la force de l'entendre et de comprendre Julie aussi. En tout cas, si tu ne veux pas, arrête-toi ici, tu n'es pas obligé d'écouter la suite. Mais ce n'est pas à moi de le décider à ta place !

J'ai pas écouté la dernière lettre de Julie tout de suite. Pour sûr, je savais que j'allais le faire mais là, je me sentais pas prêt. Je me suis obligé à me lever. Et j'ai marché. J'ai pensé à rien. J'ai juste observé les sternes plonger et replonger encore. Jusqu'à ce que la chaleur revienne dans mon corps. Que les couleurs réapparaissent alentour. Et que les couleurs disparaissent ensuite avec l'arrivée de la noirceur.

Je suis rentré chez nous. Je me suis installé devant le châssis qui donne au large et je me suis mis à jongler. J'aurais aimé à me transporter il y a quarante ans d'ici, pis voir en direct ce qui s'était passé, comme à la télévision. Pour sûr, c'était pas possible, ça fait que je suis allé me coucher. J'étais trop fatigué pour en entendre plus pour à soir, ma journée avait déjà été bien assez remplie de même.

Au matin, je me sentais ragaillardi. La nuit m'avait fait du bien, j'étais comme apaisé. J'ai pas souvenance de mes rêves, mais ils devaient être bien plaisants. J'avais le sourire fendu d'une oreille à l'autre sans raison. Pour sûr, la journée était belle et le soleil bon à prendre. Après la nuit fraîche, l'air était plein de grands draps blancs que la chaleur du matin faisait s'évanouir.

Je suis sorti en pêche comme à mon habitude, pis j'ai fini ma tournée par chez Pierre à Charles. Pis là, quand sa mère m'a demandé si je voulais rester à dîner, au lieu de refuser bien poliment, j'ai dit oui. Tous les deux, ils ont figé un brin tellement ma réponse les a pris par surprise. Pis moi, j'ai pas regretté mon coup. On s'est installé dehors, au grand air, sûrement à cause de mon odeur de maquereau, pis on a bien mangé. La table était alignée face au large et j'aime, comme j'ai l'ai déjà dit, à regarder vers le goulet à partir des hauteurs. Sa mère nous a même laissés tous les deux tout seuls à la fin, pour prendre notre café, en fumant une cigarette. C'était plaisant, juste d'être là, avec Pierre, sans parler ni rien, la mer en face de nous autres.

En revenant vers chez nous, je me suis arrêté chez Edmond. J'ai salué la mère qui lisait sur la galerie, pis j'ai été m'accoter sur le cadre de porte du petit magasin, à coté de Louis qu'était assis là. On n'a pas parlé gros là non plus, mais juste avant de partir, il m'a dit qu'il faudrait passer la herse entre les rangs de patates dans les semaines qui viennent. Que les mauvaises herbes étaient levées. Je lui ai dit de me prévenir quand il serait prêt et que je viendrais l'aider.

Je suis passé par chez nous déposer mes chaudières et me débarbouiller un brin, pis je suis allé prendre une petite marche sur le haut des caps. J'avais juste l'idée de prendre un peu l'air, mais une fois parti, j'ai filé vers les Demoiselles jusqu'à la Butte de la Croix. En revenant, j'ai vu que Rita était au dehors, à travailler sur sa maison, et je l'ai saluée de loin, sans trop m'approcher. Je voulais pas la déranger de son ouvrage ni qu'elle se sente obligée de descendre de son échelle pour me faire la jasette.

Une fois de retour à la maison, je me suis occupé jusqu'au soir. Je voulais attendre avant d'écouter ma dernière lettre. Je me suis fais rôtir du maquereau que j'ai mangé avec des légumes en pot. Un cadeau de Françoise, de l'automne passé. J'ai mangé les légumes direct dans le pot, pas réchauffés ni rien, en écoutant ma musique. J'ai commencé par les *Ave Maria*, pis ensuite j'ai mis Monsieur Mozart, une cassette à la suite de l'autre. À la toute fin, les étoiles étant bien installées. J'ai tiré la berceuse face au large, pis là, en faisant face à la noirceur, j'ai mit la cassette de la Jeune. J'ai écouté. J'étais prêt.

Montréal, 29 septembre

Je n'y arrive plus, maman. Je suis hantée par les Îles et par ce que j'ai fait. Il faut que ça arrête. Je dois réussir à oublier. Je dois changer de vie.

Je n'arrête pas de le revoir, en bas du cap. Je n'arrête pas de revoir le regard de Louis posé sur moi. Louis se précipitant en bas, plus vite que je l'ai jamais vu courir. Il s'approche du petit doucement. Il lui parle en pleurant. Il le prend dans ses bras et il le ramène à la maison en passant juste à côté de moi... sans me regarder. Je vois les larmes sur ses joues alors que moi, mes yeux restent secs. Je le sais, plus jamais il ne va me regarder de la même façon. Son dernier regard, ce sera celui d'après l'horreur... Après que j'ai poussé André en bas du cap, pour que ça finisse, pour arrêter la souffrance...

Tu sais, je n'ai pas réfléchi. André était collé à moi, abandonné, en confiance. J'avais mes bras autour de lui. Sa tête appuyée sur mon ventre. Tous les trois nous regardions la mer.

Je crois que jamais je n'avais été aussi bien de toute ma vie. Et je le sentais, pour André, c'était la même chose. Comme avant l'école... avant la méchanceté.

Je ne sais pas comment cela a pu arriver... J'avais envie, je crois, qu'il ne souffre plus jamais... que plus jamais personne ne le frappe. Avec des mots ou avec des roches. Ce moment-là, juste avant la chute, m'a semblé durer une éternité, tellement on était bien. Puis, j'ai revu Donald à Jérôme qui poursuivait André avec son ski-doo. L'obligeant à courir en avant. Comme si André avait été un chien... ou du gibier! Tu te rends compte, maman? Comment on peut endurer ça? J'ai perdu la tête...

Je voulais que plus jamais une chose comme ça puisse se reproduire. J'avais envie qu'il reste dans le bonheur qu'on avait là, je voulais le protéger... j'étais sa grande sœur, c'était mon rôle de le protéger. Alors en le poussant, je rêvais peut-être qu'il s'envole... comme un goéland.

Mes bras l'ont poussé et j'ai réalisé mon geste, je venais d'essayer de tuer mon frère, seulement quand j'ai vu le regard de Louis. J'ai beau me le répéter, c'était improbable de tuer quelqu'un à cet endroit-là... Il reste que j'ai poussé André! Et même si je sais que tu m'as pardonné, même si je suis certaine que Louis m'a pardonné aussi, il faut que je me pardonne, moi. Je croyais y arriver... Depuis la mort d'Yvon, je vois bien que j'en suis encore loin.

Cette lettre va être la dernière, maman. Je pars pour la France. Je vais essayer de jouer dans une petite troupe là-bas. J'ai aussi des références pour le cinéma. Je veux partir avant l'hiver et le froid. Je n'écrirai plus, maman, je veux tenter d'oublier ce jour d'octobre où ma vie a basculé. Ce n'est peut-être pas la meilleure façon pour arriver un jour à être heureuse, en me sauvant ainsi, mais c'est la seule qui m'apparaît possible présentement, pour continuer à vivre.

Je suis désolée pour toi, tu as toujours été une si bonne mère. Je n'ai pas de reproches à te faire, bien au contraire.

J'espère que tu pourras me comprendre et me pardonner cette séparation. Ce n'est peut-être pas si difficile à pardonner... comparé au pardon à me donner après que j'aie tenté de tuer ton fils !

À chaque fois que je vois un fou dans la rue, je pense à André. Et mon cœur se fend en deux. C'est un secret dur à porter. Même à Yvon, je n'avais rien dit.

Mes amis prétendent que les fous ne sont pas vraiment malheureux, qu'ils vivent dans leur monde à eux ! Ils n'ont jamais vu leur petit frère se faire battre et pleurer dans un coin, recroquevillé tout pareil à un chien battu. Et s'il y avait juste la douleur physique... La souffrance, la peur, je les ai lues si souvent sur son visage. Les gens ne savent pas à quel point la peur peut transformer quelqu'un et comment, à côté, on se sent impuissant. À observer les transformations de la peur sur la personne qu'on aime le plus au monde. Et découvrir la haine aussi... J'éprouve tellement de haine envers les gens de l'entourage. Les gens du canton qui lui ont fait du mal. Ils ont démoli sa vie avec indifférence. En s'amusant ! Je sais que je ne pourrai jamais leur pardonner ce qu'ils ont fait. Et cette haine aussi, est dure à porter.

Je rêve souvent à ce jour-là... Le petit semblait mieux, après un long congé d'école. Nous étions allés sur le cap, voir si les pommes de pré étaient mûres. Même que le petit s'était mis à courir à un moment donné, juste pour s'amuser, sans personne pour y courir après. Mais mon rêve se termine toujours de la même façon, je vois André en train de tomber en bas du cap. Et je me réveille, le remords et la honte au fond du cœur.

Je me dis qu'il est sans doute préférable que je sois partie des Îles. C'est mieux, pour le petit. Je crois que ma souffrance, rajoutée à la sienne, n'apportait rien de bon. Je pense souvent à lui, je m'imagine le tenant dans mes bras. Je le berce doucement...

Berce-le pour moi, maman, sois douce avec lui. Ça me rassure de te savoir là.

Pardonne-moi. Pardonnez-moi tous. Je vous aime de tout mon cœur,

Julie, xxx

DEUX SEMAINES
PLUS TARD...

Depuis deux semaines, j'ai rien mis sur mon enregistreuse. J'en avais pas le goût. Mais aujourd'hui, pour sûr, la lumière devait être différente par rapport aux autres matins... Presque sans m'en apercevoir, en partant marcher sur les dunes, j'ai pris ma petite machine avec moi. Faut croire que j'étais prêt à parler avec la Jeune.

Depuis deux semaines, pour dire, j'ai quasiment pas ouvert la bouche. Je suis pas sorti en pêche un seul jour, ce qui fait que j'ai pas eu le besoin non plus d'entrer dans les maisons. À tous les soirs, j'ai écouté la dernière lettre de Julie, et j'ai passé mes journées sur les dunes, à marcher. J'essaie du plus fort de mon vouloir à me souvenir de cette journée-là, au mois d'octobre 1965, sans y parvenir en toute. Je voudrais revoir le haut du cap, quand Julie me tenait dans ses bras. Mais même si j'arrive pas à rien voir, je sens la chaleur de Julie par exemple. À chaque fois que je réécoute sa lettre, je sens cette chaleur-là dans le derrière de ma tête. Faut dire, maintenant, la chaleur me surprend des fois à n'importe quelle heure du jour, une belle surprise qui m'emplit de contentement. Un peu comme dans mes mauvais jours, avec les parlures d'Edmond dans ma tête. En seulement, cette chaleur-là est encore plus plaisante à sentir.

Je suis pas triste, loin de là ! Bien au contraire, tout me fait sourire. De la pointe du jour jusqu'au couchant, je regarde la nature pis partout sur quoi mon regard s'arrête, je vois de la beauté. Comme si avant, j'avais jamais regardé pour vrai.

Et je trouve ça beau, ce que Julie a essayé de faire. Ce qu'elle a fait pour tout dire ! Pour sûr, si on regarde du bord du bien et du mal... c'était peut-être pas une bonne action. En seulement, moi, je trouve que c'était de l'amour. Il y avait de l'amour derrière sa poussée, beaucoup d'amour même. Un amour regardant pas à la raison. Elle pensait à moi. À me garder dans le bonheur qu'on avait là.

Je suis capable de sentir la chaleur de Julie en arrière de ma tête et je suis bien. Tout juste comme Julie le dit dans sa lettre. Quarante ans plus tard, être capable de sentir un amour fort de même, c'est pas une petite affaire, me semble.

Certain, Julie, elle se trompait. Pis j'ai fini par guérir... à ma façon. C'était pas la chose à faire, et je suis content d'être là. J'ai jamais rechigné après le sort que la vie m'avait fait. Je me suis jamais plaint non plus d'être différent des autres. Bien au contraire, ma laideur pis le fait que le monde me dise fou, ça me donne une liberté que je voudrais pas échanger contre rien, pas même une belle face. Je peux faire tout ce qui me passe par la tête en étant le fou de la place, j'ai des comptes à rendre à personne ! Pis la nature est bien faite... Elle m'a mis comme une voile devant toute cette mauvaise traversée-là. Une voile tant épaisse que pas un souvenir arrive à passer au travers. Même avec tout mon bon vouloir ! Mais il y a des affaires, par exemple, que mon corps se rappelle. Comme la mauvaise impression que j'avais rapport à Donald à Jérôme pis que Julie dans sa lettre montre bien que c'était pas juste des idées en l'air ! Pis il y a surtout, le plus plaisant, la douceur de Julie, que j'arrive à sentir, même si j'arrive pas à voir son image.

Julie, je me dis, elle m'aimait peut-être trop. Pis je pense itou qu'elle était trop jeune pour savoir que le temps arrive à faire passer bien des affaires.

J'arrive pas à être triste pour maman non plus... Si la lettre a pas été ouverte, ça veut dire que maman était déjà morte. Et elle a rien su du grand trouble de sa fille. Et même, pour Julie, je suis pas triste. Je sais bien, à l'époque, elle a passé un bout difficile. Mais je sais au fond de moi que Julie a été heureuse. Je le sens tellement fort... que j'ai l'assurance de pas me tromper là-dessus ! Quand elle a quitté les Îles, ça devait être encore bien pire et elle s'en est sortie. Je vois pas pourquoi elle s'en serait pas sortie itou, même après la mort d'Yvon. Certain, cette mort-là avait fait revenir des affaires difficiles à la surface, mais la jeunesse, c'est plus fort que bien des choses. Pis Julie, elle est faite pour le bonheur pour sûr.

Depuis une couple d'heures que je marche, j'ai pas rencontré âme qui vive. L'époque des touristes est pas encore arrivée et de toute manière, bien rares sont les fois où du monde se hasarde par ici. À droite, il y a les sternes qui plongent une à la suite de l'autre. J'aime à les regarder faire. C'est habile en diable, une sterne, pis en plus, c'est silencieux. Devant, à une vingtaine de pieds, une gang de pluviers avance à même vitesse que moi. Ils mangent des petites puces de sable qui font des bulles quand la mer se retire, elles se signalent de même, et les pluviers en profitent pour les attraper. Une belle journée fraîche de printemps, comme j'aime à imaginer celle de l'automne 1965.

Je marche sur la dune, je suis content. Je danse presque en marchant. Demain, je vais sortir en pêche et reprendre mes tournées aux maisons. Et la Jeune va continuer à m'envoyer de la musique... J'ai même espoir qu'un jour, Julie va venir pour me voir. Oh, c'est pas un gros espoir, mais c'est un espoir pareil.

C'est bien assez pour un fou comme moi.

| REMERCIEMENTS

Je dois beaucoup à mes amis pour la création du *Fou d'la Pointe*. Et je suis particulièrement redevable à Pascale et Suzanne qui ont lu et relu les nombreuses versions de mon manuscrit. Patrick, Claude, Julie, Carole, Élyse et François m'ont aussi exprimé des commentaires qui, tous, ont aidé, d'une façon ou d'une autre, à améliorer la version finale du *Fou*.

Merci à mes amours, Elsa et Stéphane, pour leur lecture et leur soutient constant.

Grand merci aux Éditions Trois-Pistoles qui ont accepté de me publier. Victor-Lévy Beaulieu, par sa grande expérience et ses demandes précises, m'a permis d'ajouter des nuances importantes au récit. Merci finalement à André Morin pour son amitié et sa sensibilité littéraire tout au long du chemin conduisant à la publication.

| TABLE

Cet ouvrage,
composé en Garamond Premier Pro 13,
a été achevé d'imprimer à Montmagny,
sur les presses de Marquis Imprimeur,
en février deux mille dix-sept.